VERS LA PROSPÉRITÉ

Connaissez le succès financier grâce au concept de la duplication

BURKE HEDGES

Net Libris

Édition originale publiée en anglais par INTI Publishing, Tampa, FL, (É.-U.) sous le titre : *COPYCAT MARKETING 101 : How to Copycat Your Way To Wealth*

Net Libris
175, de Langelier
Gatineau (Québec) Canada
J8R 2M5
(819) 663.1492

Traduction : Clément Paré

Correction : Andrée Legault

Infographie : *Infographie Au bord du Ruisseau*

Dépôt légal - 1998
Bibliothèque nationale du Québec
Bibliothèque nationale du Canada
Imprimé au Canada

DONNÉES DE CATALOGAGE AVANT PUBLICATION (CANADA)

Hedges, Burke
Vers la prospérité : connaissez le succès financier grâce au concept de la duplication.
Traduction de Copycat marketing 101.
ISBN 2-9806021-0-8
1. Concessions (Commerce de détail). 2. Marketing.
3. Succès dans les affaires. I. Titre.

HF5429.23.H4214 1998   658.8'708   C98-940788-8

REMERCIEMENTS

J'aimerais remercier les pionniers de notre industrie, car ils ont tracé le chemin du succès afin que d'autres puissent y marcher. Où serions-nous aujourd'hui sans leur vision, leur courage et leur persévérance ?

DÉDICACE

Ce livre est dédié à mes parents,
qui ont été les modèles de valeurs sûres
et de persévérance que j'ai imités.

INTRODUCTION

Si vous n'aimez pas le résultat, changez votre approche !

De nos jours, nous avons besoin de deux choses : premièrement, les riches doivent découvrir comment vivent les pauvres; et deuxièmement, les pauvres doivent apprendre comment travaillent les riches. (Traduction libre)

— John Foster

Connaissez-vous l'histoire du gestionnaire new-yorkais d'âge moyen qui n'arrive pas à régler ses factures, et qui décide de s'en remettre aux conseils d'un expert financier?

Il prend donc un rendez-vous avec un conseiller financier notoire, dont le bureau est situé dans un édifice cossu de Park Avenue.

Le gestionnaire se présente à la réception, mais au lieu d'être accueilli par une réceptionniste, il se retrouve devant deux portes: une portant l'inscription « salarié » et l'autre, « travailleur autonome ».

Il ouvre la porte marquée « salarié » pour se buter à deux autres portes: une portant l'inscription «salaire inférieur à 40 000$» et l'autre, «salaire supérieur à 40 000$».

Son salaire étant inférieur à 40 000$, il entre par cette porte pour se retrouver une fois de plus devant deux portes. La porte de gauche porte l'inscription «économise plus de 2 000$ par année» et celle de droite, «économise moins de 2 000$ par année».

Ne possédant que 1 000$ d'économies, le gestionnaire entre donc par la porte de droite, pour se retrouver à nouveau sur Park Avenue !

Les mêmes portes mènent aux mêmes résultats

Il faut se rendre à l'évidence que notre gestionnaire ne sortira jamais de son marasme tant qu'il ne tentera pas d'ouvrir des portes différentes. La morale de cette histoire, c'est que la plupart des gens sont comme ce gestionnaire : ils choisissent d'ouvrir les portes qui les ramènent directement à la case départ.

La seule façon d'obtenir de nouveaux résultats, c'est de choisir de nouvelles portes, n'est-ce pas ? Un de mes mentors disait toujours : « Si vous persistez à faire ce que vous avez toujours fait, vous obtiendrez ce que vous avez toujours obtenu. »

Faites-vous partie du 95 % ? Ou du 5 % ?

Tout comme le gestionnaire de notre histoire, la plupart des gens sont plongés dans un marasme parce qu'ils sont pris dans un cycle perpétuel de frustrations financières.

Comme lui, 95 % des travailleurs dans la plupart des pays industrialisés sont employés, gagnent moins de 40 000 $ par année et épargnent environ 2 000 $ par année.

À première vue, ces données sont impressionnantes, surtout pour des gens qui gagnent moins de 40 000 $. Il n'en demeure pas moins que 95 % des gens aujourd'hui n'avancent pas dans la vie ; ils ne font que survivre. À titre d'exemple, examinons la situation financière du citoyen nord-américain « moyen » de 65 ans.

100 NORD-AMÉRICAINS « MOYENS » DE 65 ANS

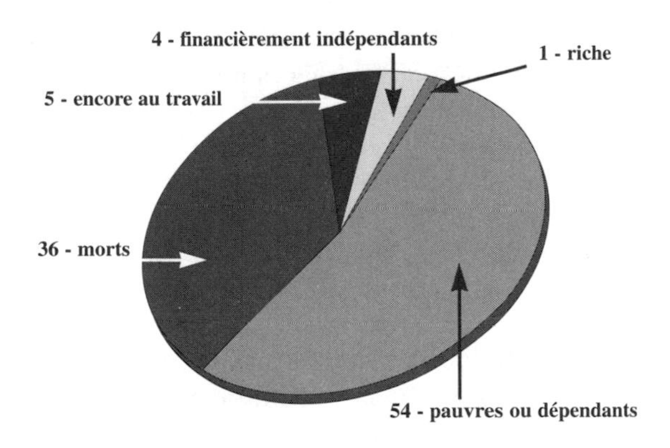

Et vous ? Ouvrez-vous les portes qui vous mèneront à faire partie du 95 % ou celles qui vous mèneront vers l'indépendance financière, pour ainsi faire partie du 5 %.

Je crois que la plupart des gens en veulent plus pour eux-mêmes et leur famille : plus qu'être morts, ruinés ou encore au travail à l'âge de 65 ans. Je me dois de croire que si plus de gens comprenaient davantage l'importance de faire partie du 5 %, il y aurait beaucoup plus de gens qui choisiraient d'ouvrir d'autres portes dans la vie.

Imaginez pour un instant…

Imaginez pour un instant que le temps et l'argent ne soient plus une préoccupation dans votre vie.

Imaginez le plaisir de conduire vos enfants à l'école tous les matins... et de ne jamais rater leurs pièces de théâtre ou leurs matchs de soccer à cause de votre travail.

Imaginez votre horaire structuré d'abord en fonction de vos parties de golf puis de votre travail, plutôt que l'inverse.

Imaginez-vous revenir de vacances quand bon vous semble, et non lorsque votre patron le décide.

Imaginez votre prêt automobile, votre hypothèque et votre facture de carte de crédit remboursés chaque mois.

Imaginez-vous faire partie du 5 %, votre situation financière vous permettant de vaquer à vos occupations comme bon vous semble.

Finalement, imaginez qu'une heure de votre temps investie à la lecture de ce livre vous permette de découvrir ce que vous avez toujours recherché : la clé du succès financier !

L'objet de ce livre

Supposons que vous ayez l'occasion de faire partie du 5 %. En profiteriez-vous ?

J'espère sincèrement que la réponse à cette question est « oui », car tel est le but de ce livre. Dans les pages qui suivent, vous découvrirez que pour connaître le secret du succès financier, il suffit de savoir quelles portes ouvrir.

Vers la prospérité vous démontrera que la plupart des gens font partie du 95 % parce qu'ils ont appris à imiter des personnes qui ouvrent des portes les menant à des emplois avec plafond salarial, n'offrant aucune possibilité d'avancement et engendrant la dépendance financière. *Bref, la plupart des gens suivent le mauvais exemple !*

Ce livre vous fera découvrir que le système couramment adopté par plusieurs personnes est conçu pour créer un revenu temporaire — et non le vrai succès financier — car il est basé sur une *croissance linéaire* qui consiste à échanger du temps contre de l'argent.

Vous découvrirez que la clé du vrai succès financier réside dans *l'effet de levier*, et ce, sous une forme de croissance que les gens riches copient depuis des siècles : *la croissance exponentielle*.

Vous découvrirez que le « secret » pour se créer une fortune est à la portée de tous, y compris les gens comme vous et moi, car il est basé sur quelque chose que nous savons déjà très bien faire : *imiter.*

Mieux encore, vous découvrirez comment des gens ordinaires peuvent accéder au succès financier en imitant un système simple et facile à reproduire. Ce système vous permettra d'atteindre la liberté financière, une fois pour toutes !

CHAPITRE 1

Nous vivons dans un monde d'imitateurs

> *Les enfants n'ont jamais vraiment su écouter leurs parents. Mais ils ont toujours su les imiter.* (Traduction libre)
>
> — James Baldwin, auteur

Un des premiers livres que j'ai lus était un livre de blagues. Je me souviens d'une des blagues insignifiantes qui nous faisaient rire mes amis et moi : il faut de l'argent pour faire de l'argent, car on doit en reproduire le motif exact !

Bien qu'il s'agisse d'une blague insignifiante, le message qu'elle transmet est néanmoins très sérieux.

Pourquoi n'avons-nous pas découvert une façon de reproduire un système engendrant la réussite financière ?

Pensez-y bien : nous avons tout imité dans nos vies, pas vrai ? Mais la seule chose que nous n'ayons pas apprise à imiter, c'est le système menant au *vrai* succès financier ! Prenons quelques instants pour parler du pouvoir de l'imitation. Puis nous observerons certaines des raisons pour lesquelles la plupart des gens n'ont pas découvert la façon de reproduire le succès financier.

Une chose à laquelle nous excellons tous : l'imitation

Nous avons tous hérité de talents et de dons qui font de nous des êtres uniques. Certains d'entre nous sont de grands danseurs, alors que d'autres ne peuvent maintenir le rythme en tapant du pied. Certains ont un talent pour l'art, tandis que d'autres arrivent à peine à exécuter un simple dessin. Certains sont d'excellents athlètes, d'autres ont de la difficulté à marcher en ligne droite sans tomber.

Mais nous possédons et maîtrisons tous, SANS EXCEPTION, la capacité d'imiter.

Saviez-vous que nous sommes tous d'excellents imitateurs ? Nous sommes tous doués pour l'imitation. *Nous sommes des génies de la duplication !* Imiter est une faculté que nous possédons tous, peu importe où nous vivons et quels sont nos talents. Que nous soyons riches ou pauvres, noirs ou blancs, hommes ou femmes, nous sommes tous d'excellents imitateurs.

Alors, pourquoi n'avons-nous pas découvert une façon de reproduire un système engendrant la réussite financière ?

Imitateurs un jour, imitateurs toujours

Nous commençons à imiter dès notre naissance. Nous imitons pour apprendre à parler, à manger, à nous coiffer, à marcher, à nous habiller, etc.

À l'école, nous apprenons à lire et à écrire en copiant les lettres de l'alphabet. Dans la culture occidentale, les enfants apprennent à écrire en copiant le système d'écriture de gauche à droite. En Asie, les enfants apprennent à écrire en copiant le système d'écriture de droite à gauche.

Plus tard, nous apprenons à conduire une voiture en imitant, n'est-ce pas ? L'instructeur nous apprend à regarder dans le rétroviseur, à mettre notre clignotant, à appuyer légèrement sur l'accélérateur, à respecter les limites de vitesse et à faire un arrêt complet aux intersections.

À Rome, faites comme les Romains

Nous sommes tellement doués pour imiter les gens autour de nous que, souvent, nous sommes stupéfaits par les us et coutumes des gens d'autres cultures. C'est exactement ce que signifie l'expression « À Rome, faites comme les Romains ». C'est une façon simple d'expliquer que nous devons respecter les différentes cultures, surtout lorsque nous visitons d'autres pays.

Facile à dire… mais nous finissons par être tellement habitués à copier les coutumes autour de nous qu'il nous arrive d'être stupéfaits ou même amusés d'apprendre ce qu'on imite ailleurs. Cette liste d'amuse-gueules préférés des amateurs de télévision de par le monde démontre clairement ce point :

- É.-U. : maïs soufflé
- Chine : pattes de poulet
- Japon : sandwiches au thé
- Mexique : oreilles de maïs rôties
- Inde : sandwiches au mouton
- Corée : pieuvre séchée au soleil

Incroyable, n'est-ce pas ? De la pieuvre séchée au soleil ? Des pattes de poulet ? Mais devinez ce que vous seriez en train de manger en regardant la télé si vous étiez né en Corée. Eh oui, de la pieuvre séchée au soleil !

Apprendre à travailler par imitation

Mon point de vue est le suivant : il existe une infinité de différences entre les cultures, mais la seule chose commune à toutes les cultures, c'est la façon dont nos coutumes nous sont transmises : *par imitation !* Nous imitons tellement que nous tenons cet outil d'apprentissage pour acquis. L'imitation est si omniprésente qu'elle devient automatique, tout comme la respiration. Alors, je pose de nouveau la question : *Pourquoi n'avons-nous pas découvert une façon de reproduire un système engendrant la réussite financière ?*

Chose certaine, la faculté d'imiter est l'outil d'apprentissage le plus puissant que l'humain possède ! L'imitation affecte pratiquement tous les aspects de notre vie, de nos habitudes les plus anodines aux décisions les plus importantes.

Par exemple, nous passons une bonne partie de notre vie au travail. Vous êtes-vous déjà demandé comment vous avez appris à effectuer vos tâches ? Comment avez-vous appris à taper une lettre à l'ordinateur ? Comment êtes-vous arrivé à choisir une tenue vestimentaire adéquate pour le bureau ? Et comment l'avez-vous enseigné aux nouveaux employés ? En leur demandant de vous imiter, n'est-ce pas ? Les psychologues appellent cela « l'effet du modèle et du miroir ». Moi j'appelle cela être un imitateur professionnel !

Nous faisons notre chemin dans la vie en imitant dès notre naissance. L'imitation est naturelle. Il n'est pas nécessaire de toujours créer à partir de rien. Des scientifiques ont démontré que les singes arrivent à communiquer avec les humains en imitant certains de leurs gestes. Si les singes peuvent y arriver, les humains doivent bien en être capables !

Une courte leçon d'histoire sur l'imitation au travail

Nous copions même notre façon de générer des revenus. Pendant des milliers d'années, les enfants de cultivateurs imitaient leurs parents et devenaient eux aussi cultivateurs, et il en était ainsi pour plusieurs autres métiers et professions. C'est pourquoi il y a aujourd'hui tant de noms qui proviennent de métiers, comme Boucher, Charpentier, Boulanger, Couturier, etc.

Avec l'arrivée de la révolution industrielle, des millions d'enfants avec un nom de famille comme Boucher, Charpentier, Boulanger et

Couturier ont rompu avec le métier traditionnel de leur famille pour se diriger vers les villes et copier un autre concept de travail : *l'emploi.*

Le concept de l'emploi, appris par imitation, a fonctionné pendant plusieurs générations, surtout aux États-Unis, royaume incontesté de la révolution industrielle. Étant donné que la première moitié du XXe siècle a été assombrie par deux guerres mondiales ainsi que par la récession des années 20, à cette époque la plupart des gens étaient heureux d'imiter leur famille et leurs amis, et d'avoir un emploi de neuf à cinq. Tant que l'expectative des gens ne dépassait pas leur niveau de vie, ceux qui imitaient la mentalité de « l'emploi à tout prix » étaient très satisfaits de ce qu'ils avaient.

Il faut réfléchir avant d'imiter

Comme bien des choses de la vie, la duplication comporte certains risques. Ce n'est pas parce que nous imitons quelqu'un que notre comportement est nécessairement bon, efficace ou productif. Malheureusement, l'imitation est trop souvent une excuse pour la paresse intellectuelle.

Cela me rappelle l'histoire d'un vieux marchand qui avait placé une horloge de parquet dans la vitrine de son magasin. Au fil des ans, le marchand remarqua qu'un homme distingué passait devant son magasin chaque jour à midi. Il s'arrêtait devant l'horloge, sortait sa montre de poche et en réglait minutieusement l'heure.

Un jour, la curiosité eut raison du marchand, et pendant que l'homme était arrêté devant l'horloge, il sortit de son magasin et lui demanda pourquoi il réglait sa montre tous les jours.

L'homme sourit et répondit : « Je suis le contremaître de l'usine de la ville. Je fais sonner la cloche de dix-sept heures chaque jour pour indiquer la fin de la journée de travail, et je tiens à m'assurer de le faire à l'heure exacte. »

Le marchand le regarda d'un air étonné, puis s'esclaffa. L'homme, stupéfait par la réaction du marchand, demanda : « Qu'y a-t-il de si drôle ? »

« Excusez-moi, dit le marchand, je ne voulais pas vous manquer de respect, mais je n'ai pu m'empêcher de rire. Voyez-vous, pendant toutes ces années, je réglais mon horloge sur votre cloche de dix-sept heures. »

Cette histoire illustre parfaitement une des facettes désagréables de l'imitation. Nous imitons les autres, les autres nous imitent, et plus souvent qu'autrement nous présumons que les gens que nous imitons ont la « bonne méthode ».

C'est exactement ce qui se produit lorsque nous acceptons un emploi sans nous demander pourquoi nous l'avons accepté. Je crois que la plupart des gens présument qu'avoir un emploi est la meilleure façon de créer le *vrai succès financier*. En réalité, les emplois ne créent qu'un *revenu temporaire*, et la différence entre les deux est énorme.

Réexaminons l'imitation au travail

Comme je l'ai mentionné précédemment, l'imitation est l'outil d'apprentissage le plus puissant que l'homme connaisse. Mais de temps à autre, un peu de recul s'impose pour examiner nos idées préconçues relatives à ce que nous imitons — et ce pourquoi nous l'imitons — afin de nous assurer que l'imitation engendrera effectivement ce que nous recherchons.

Tout au long de ce chapitre, j'ai posé plusieurs fois la question suivante: *Pourquoi n'avons-nous pas découvert une façon de reproduire un système engendrant la réussite financière?* La réponse est évidente: la plupart d'entre nous imitent le comportement qui mène à l'emploi plutôt que celui qui mène au *vrai* succès financier.

Pourquoi? Parce que la plupart des gens présument que l'emploi est la seule façon d'actualiser leur rêve financier. Peut-être croient-ils qu'il s'agit là de l'unique source créatrice du succès financier. Ou peut-être se sentent-ils incapables d'atteindre le *vrai* succès financier autrement que par leur emploi.

Peu importe la raison, le résultat reste le même. La plupart des gens deviennent des candidats du 95 % plutôt que du 5 %, parce qu'ils imitent le comportement qui mène à l'emploi et qui sert à créer un revenu temporaire, et non le *vrai* succès financier.

Et vous? Qui avez-vous choisi d'imiter? Les 95 % des gens qui suivent le chemin menant à l'emploi, ou les 5 % qui ont choisi le chemin menant au *vrai* succès financier ?

Oubliez vos idées préconçues !

Un sage a dit : « Votre cerveau est comme un parachute. Il ne fonctionne que lorsqu'il est ouvert. » Aujourd'hui plus que jamais, nous devons nous rendre à l'évidence que l'emploi est un système de création de revenu, et non de création de succès financier.

Plutôt que de nous contenter de joindre les deux bouts, nous devons oublier nos idées préconçues et nous ouvrir à de nouveaux moyens de créer le succès financier.

Les gens qui s'entêtent à ouvrir les portes qui mènent à l'emploi retourneront continuellement à la case départ. Je crois cependant que si nous désirons sincèrement obtenir de nouveaux résultats (et ainsi faire partie du 5 %), nous nous devons d'ouvrir les portes qui mènent à la réussite financière.

Dans le chapitre suivant, nous examinerons en détail la différence entre la création d'un revenu et la création du *vrai* succès financier. J'y expliquerai ensuite pourquoi ce dernier est plus facile à atteindre aujourd'hui qu'à toute autre époque de notre histoire.

CHAPITRE 2

Qu'est-ce que le *vrai* succès financier ?

Si vous ressentez le besoin de dire que vous êtes riche, vous ne l'êtes pas vraiment. (Traduction libre)
— Joe Brown, comédien

Qu'est-ce que le succès financier ? Je parle, bien sûr, d'un grand succès financier. Assurément, ces mots ont un sens différent pour chaque individu. Pour moi, le succès financier, ce n'est pas seulement être capable de se procurer plusieurs biens, même si cela constitue un avantage intéressant. Pour moi, le vrai succès financier est synonyme de liberté.

Voici ma définition personnelle, qui, à mon avis, représente le plus grand avantage du succès financier : *La réussite financière, c'est avoir assez d'argent pour faire ce que vous voulez, quand vous le voulez.*

Croyez-vous que Bill Gates conserve son emploi à la tête de *Microsoft* par obligation ou par choix personnel ? Il va sans dire que Bill Gates possède assez d'argent pour faire ce qu'il veut, quand il le veut, parce qu'il a atteint le *vrai* succès financier. En somme, le *vrai* succès financier procure la liberté.

Le succès financier nous donne la liberté de choisir

Chuck Feeney est du même calibre financier que Bill Gates. Fondateur de commerces hors-taxes installés dans plusieurs aéroports internationaux, Feeney est milliardaire, ou devrais-je dire était milliardaire. En 1984, Feeney a fait don de 99,5 % de sa fortune (évaluée à 3,5 milliards de dollars) à une association de bienfaisance. Aujourd'hui, il fait don de son temps et de son argent à des œuvres de bienfaisance partout dans le monde.

Bill Gates et Chuck Feeney comprennent que le *vrai* succès financier signifie avoir la liberté totale de vaquer à ses occupations... et de dépenser son argent comme on le veut. Gates a choisi de s'occuper de créer encore plus de succès, tandis que Feeney a décidé de s'occuper de distribuer son argent. Le dénominateur commun qui permet à ces deux hommes de faire ces choix, c'est le *vrai* succès financier.

Planifier son temps avec intelligence

Beaucoup de gens croient avoir atteint le *vrai* succès financier lorsqu'ils peuvent s'acheter tous les biens matériels qu'ils désirent. Mais les individus les plus perspicaces comprennent que la vraie prospérité, ce n'est pas acheter *plus de biens*, mais bien *avoir plus de temps pour faire ce qui leur plaît.*

Pensez-y ! Quand vous serez vieux, que vous aurez les cheveux gris et que vous serez assis au salon d'une maison de retraite, vous remémorant votre vie passée, qu'allez-vous regretter le plus ? Le fait de ne pas avoir acheté une maison plus luxueuse ?... Ou le fait de ne pas avoir passé plus de temps avec vos enfants alors qu'ils étaient jeunes ?

Qu'allez-vous regretter le plus ? Le fait de ne pas avoir travaillé sans arrêt afin d'obtenir la promotion tant attendue au bureau ?... Ou le fait de ne pas avoir passé plus de temps avec vos parents et vos amis lorsqu'ils avaient besoin de vous ?

Le temps est notre bien le plus précieux, bien plus précieux que l'or. Il nous est impossible de retourner en arrière pour le rattraper. Si votre voiture ne fonctionne pas, vous pouvez toujours en acheter une autre. Si vous perdez votre emploi, vous pouvez toujours en trouver un autre. Si vous perdez de l'argent mal investi, vous pouvez toujours en réinvestir plus tard. Mais vous ne pouvez jamais rattraper le temps perdu.

Comme l'affirme un vieux proverbe chinois : *Mieux vaut jeter sa fortune au fond d'un puits, que de gaspiller un seul instant de sa vie.* C'est pourquoi je dis que le *vrai* succès financier, c'est avoir assez d'argent *et assez de temps* pour faire ce qui vous plaît, lorsque vous le désirez. Le plus grand avantage du *vrai* succès financier est sans aucun doute la liberté de planifier notre temps comme bon nous semble.

Le revenu temporaire : le « piège temps-argent »

Connaissez-vous un médecin ou un avocat qui travaille d'arrache-pied pour gagner plus de 150 000 $ par année, et qui se sent pris au piège? Son travail lui procure-t-il le *vrai* succès financier ? Selon ma définition, la réponse est « non ».

Je m'explique. Même si plusieurs professionnels gagnent suffisament d'argent pour acheter tous les biens qu'ils désirent, la plupart d'entre eux n'ont pas le temps d'en profiter. Ils doivent travailler pour générer le revenu nécessaire au maintien de leur niveau de vie. Les gens pris au piège de l'emploi — peu importe l'importance de leur revenu — sont victimes d'un revenu temporaire et n'accèdent jamais au *vrai* succès financier.

Dans le piège de l'emploi, vous échangez du temps contre de l'argent. Vous ne recevez pas d'argent tant que vous n'avez pas exécuté votre travail. Que vous soyez un commis payé au salaire minimum ou un cardiologue gagnant 5 000 $ l'heure, un revenu d'emploi n'en demeure pas moins l'échange d'une unité de temps contre une unité d'argent. Dix heures de travail équivalent à 10 heures de paie. Malheureusement, il s'agit d'un cercle vicieux. De plus, lorsque ce cercle se brise, le revenu cesse. Qu'advient-il alors des travailleurs malades, blessés ou mis à pied ?

Lorsque les dépenses égalent le revenu

À titre d'exemple, considérons le Dr Jacques Lafleur, médecin qui gagne un salaire annuel de 150 000$. Pour la majorité des gens, 150 000$ par année est une somme très importante. Mais lorsque des professionnels à revenu élevé dépendent de celui-ci pour maintenir leur niveau de vie, ils deviennent des victimes involontaires du «piège temps-argent».

Dépenses mensuelles «typiques» d'un professionnel américain gagnant environ 150 000$ par année

Revenu brut	150 000$
Taux d'imposition (33 %)	50 000$
Revenu annuel net	100 000$
Revenu mensuel	**8 500$**
Dépenses mensuelles	
Prêts pour 2 voitures de luxe	1 000$
Hypothèque	2 000$
Assurance : vie, habitation, voitures	500$
2 enfants à l'école privée	1 000$
Loisirs, sorties, etc..	1 000$
Vacances annuelles	1 000 $
Vêtements, bijoux, meubles	500$
Dons de bienfaisance	500$
Cotisation à un club social	500$
Épargne	500$
Total des dépenses mensuelles	**8 500$**
Revenu mensuel	**8 500$**
Reste	**0$**

Esclave du revenu temporaire

Comme vous l'avez constaté, le Dr Lafleur profite d'un niveau de vie digne des mieux nantis. Nous voudrions tous avoir l'argent nécessaire pour faire partie d'un club huppé, faire des voyages de ski dans le Colorado, ou des croisières luxueuses dans les Caraïbes. Bien sûr, le niveau de vie du Dr Lafleur fait envie à tous, mais il paie un prix énorme pour ce privilège : *il a hypothéqué sa liberté pour l'obtenir* !

Aussi, puisque son revenu n'est que temporaire, il n'a pas la liberté de faire ce que bon lui semble. Il est à la merci de son emploi, parce qu'il est esclave de son niveau de vie. Le Dr Lafleur doit se présenter à son cabinet tous les jours, qu'il le veuille ou non. S'il ne s'y présente pas, il ne reçoit pas d'honoraires. Et s'il ne reçoit pas d'honoraires, il ne peut payer son hypothèque…, ni son prêt pour les voitures…, ni la facture des cartes de crédit…, ni l'école privée pour ses enfants. C'est sûrement la raison pour laquelle tant de professionnels sont victimes de crises cardiaques entraînant une mort prématurée.

Jouer avec le feu

Qu'adviendrait-il du Dr Lafleur s'il devait un jour souffrir d'arthrite, et que ses mains ne lui permettent plus de travailler ? Et si c'était vous qui deviez cesser de travailler et tenter de vivre sans revenu ? Pour la majorité d'entre nous, cette situation serait digne de notre pire cauchemar.

Le problème du revenu d'emploi, c'est qu'il est temporaire. Si vous deviez cesser de travailler, vous cesseriez aussi d'être rémunéré. Et si vous n'aviez pas d'autre revenu que celui de votre emploi, vous seriez en très mauvaise posture.

Selon le magazine américain *Business Week*, l'employé moyen attend la moitié de sa vie avant de pouvoir s'acheter une maison, accumuler des économies et cotiser à un fonds de pension. Il ne lui faut cependant que six mois pour tout perdre s'il perd son emploi.

De quoi faire peur, n'est-ce pas ?

La liberté grâce au revenu résiduel

Ne serait-il pas agréable de connaître tous les avantages du niveau de vie du Dr Lafleur sans avoir la responsabilité de se présenter au travail tous les jours ? Ce serait incroyable, n'est-ce pas ?

Heureusement, il existe un autre type de revenu. Contrairement au revenu temporaire, le *revenu résiduel*, génère un salaire même si vous n'êtes pas au travail. Le revenu résiduel résiste au « piège temps-argent », car il ne dépend pas de la notion de l'échange de temps contre de l'argent.

Afin de bien comprendre la notion du revenu résiduel, prenons comme exemple un professionnel fictif. Nous l'appellerons Jacques Lambert, comptable agréé. Tout comme pour le Dr Lafleur, les affaires vont bien pour M. Lambert. Par contre, M. Lambert comprend très bien la puissance du revenu résiduel. Pendant les 40 dernières années de sa carrière, M. Lambert a investi 10 % de son revenu brut.

Maintenant à la retraite, M. Lambert dispose de 1,5 millions de dollars placés dans des fonds mutuels lui rapportant 10 % d'intérêt par année. Ce revenu résiduel équivaut au revenu temporaire du Dr Lafleur, soit 150 000 $. Même si les revenus sont identiques, la méthode pour y arriver est très différente, comme l'indique le tableau suivant :

Revenu temporaire	**vs**	**Revenu résiduel**
échange temps-argent	↔	optimisation du temps
croissance linéaire du revenu	↔	croissance exponentielle du revenu
aucun revenu dans l'incapacité	↔	revenu perpétuel
pas de *vrai* succès financier	↔	succès financier
aucune liberté dans vos occupations	↔	liberté totale dans vos occupations
réussite minimale	↔	réussite maximale

Quel revenu préférez-vous ? Le revenu temporaire ou le revenu résiduel ? La réponse est évidente.

Le *vrai* succès financier

Le revenu résiduel — contrairement au revenu d'emploi — n'est pas restreint par le «piège temps-argent» grâce à *l'effet de levier.* La seule façon d'atteindre le *vrai* succès financier, c'est *d'optimiser votre temps, votre argent et vos efforts* pour que 10 heures de travail équivalent à 100 heures de paie... ou même 1000 !

Voyez-vous, les riches s'enrichissent parce qu'ils prennent avantage de l'effet de levier en investissant leur argent. Le millionnaire typique fait sa fortune en investissant 20 % de ses revenus, et ce, pendant plusieurs années. C'est en faisant travailler leur argent que les riches font fortune... et conservent cette fortune.

Voici la principale différence entre la création d'un revenu et la création du succès financier : la création d'un revenu s'avère temporaire, car si vous perdez votre travail vous n'aurez plus de revenu ; la création du succès financier, par contre, est permanente, car elle vous libère du «piège temps-argent» en mettant votre argent et votre temps à profit.

Optimisez votre temps

Je comprends que très peu de gens gagnent assez d'argent ou sont assez disciplinés pour optimiser leurs économies mensuelles, afin qu'elles se transforment en millions de dollars. Heureusement, l'effet de levier n'est pas le seul moyen assuré d'atteindre le *vrai* succès financier.

Un autre moyen consiste à optimiser votre temps en l'investissant, au lieu de le gaspiller.

Nous connaissons tous l'expression *le temps, c'est de l'argent*, n'est-ce pas ? Eh bien, grâce à la puissance de l'effet de levier, aujourd'hui cet axiome est plus vrai que jamais. Évidemment, nous ne disposons pas tous des mêmes moyens financiers ; par contre, nous disposons tous du même temps. Vous devez comprendre que le présent livre n'a pas été conçu pour vous inciter à investir votre argent mais bien votre temps, afin d'atteindre le succès financier. Le temps vaut de l'argent s'il est bien investi.

Riches ou pauvres, nous disposons tous du même nombre d'heures dans une journée, dans une semaine et dans un mois. La clé du succès financier ne consiste pas à créer plus de temps. Elle consiste à profiter pleinement du temps dont nous disposons déjà.

Heureusement, aujourd'hui nous pouvons tous optimiser un peu de notre temps dans le but d'atteindre la vraie réussite financière. L'effet de levier nous permet d'échanger un peu de temps contre beaucoup d'argent, alors que le système linéaire nous demande d'échanger beaucoup de temps contre un peu d'argent.

Heureusement, il existe maintenant un système simple, facile à reproduire et accessible à tous pour optimiser temps et efforts.

Copiez-vous le mauvais système ?

Nous n'avons pas tous la chance d'être nés avec un nom de famille comme DuPont ou Rockefeller. Nous ne sommes pas tous des génies comme Bill Gates ou Chuck Feeney non plus. Et nous n'avons pas tous le talent de Michael Jordan ou de Tom Cruise.

Bien trop souvent, nous présumons que le succès financier, c'est un peu comme gagner à la loterie de la vie..., que c'est pour les gens bourrés de talents... ou pour les gens bénis, mais sûrement pas pour nous, les gens ordinaires. ***Or, cela est complètement faux !***

Nous ne devons pas penser ainsi. Nous devons à tout prix rejeter cette mentalité contraignante et négative dès maintenant.

Il est vrai que la plupart des gens *croient* qu'ils ne peuvent pas atteindre le succès financier, mais en réalité *ils le peuvent très bien.* Les gens qui doutent de leurs capacités en ce qui concerne le succès financier ne connaissent tout simplement pas un système digne d'être copié. En d'autres mots, la plupart d'entre nous ont adopté la mauvaise stratégie. Étant donné que nous ne connaissons pas un bon modèle menant au succès, nous adoptons le modèle que tous les gens que nous connaissons ont adopté : l'emploi.

Nous suivons la majorité et, par conséquent, nous obtenons ce que la majorité obtient.

Il n'y a pas de sot métier

Il faut comprendre que *l'emploi* n'est pas le problème. Le vrai problème est ce qui en résulte. S'il était possible d'obtenir le *vrai* succès financier grâce à un emploi, je serais le premier à vous le recommander.

Visez la croissance exponentielle, et non la croissance linéaire

Vous n'atteindrez jamais le *vrai* succès financier tant que vous copirez le système de création d'un revenu temporaire, car celui-ci est basé sur la croissance linéaire. D'autre part, la clé de la réussite financière repose sur la croissance exponentielle.

Le prochain chapitre présentera plus en détail les limites de la croissance linéaire et les raisons pour lesquelles nous devons commencer dès maintenant à copier des systèmes qui tirent profit de l'effet de levier.

CHAPITRE 3

La croissance linéaire : l'échange du temps contre de l'argent

Travailler à longueur de journée,
Vivre de presque rien
À notre mort,
Le paradis
(Traduction libre)

— Joe Hill
organisateur unioniste américain des années 20

Lors de conférences, je dis aux gens que la plupart des travailleurs souscrivent au plan 40/40/40 : ils travaillent 40 heures par semaine... pendant 40 ans... puis prennent leur retraite et reçoivent un repas au restaurant et une montre de 40 $!

Les temps changent si vite et, comme bien des choses, le plan 40/40/40 est maintenant désuet. Aujourd'hui, la plupart d'entre nous souscrivent au plan 50/50/50/50. De nos jours, nous travaillons 50 heures par semaine... 50 semaines par année... pendant 50 ans..., pour recevoir à notre retraite environ 50 % d'un montant nous permettant à peine de vivre.

Le cercle vicieux de l'échange du temps contre de l'argent

Le plan 50/50/50/50 est l'exemple classique de la *création d'un revenu,* car il est basé sur la *croissance linéaire*. La méthode pour calculer la croissance linéaire est très simple :

S (salaire horaire) x N (nombre d'heures de travail) = R (revenu)

Dans le contexte du travail, la croissance linéaire peut être définie comme la récompense résultant de l'effort. Ce qui veut tout simplement dire que vous êtes rémunéré en fonction de ce que vous produisez, rien de plus, rien de moins. Avec la croissance linéaire, une unité de temps équivaut à une unité d'argent. Donc, la seule façon d'augmenter un revenu basé sur la croissance linéaire, c'est de travailler plus d'heures ou d'obtenir une augmentation de salaire.

À première vue, la croissance linéaire semble être un système très convenable. Elle rapporte aux gens qui ont un salaire assez élevé et qui sont prêts à travailler beaucoup d'heures supplémentaires. Cependant, ces travailleurs seront toujours restreints par un plafond salarial, peu importe le montant qu'ils gagnent par heure.

Le peintre et le professionnel

Pour mieux comprendre les limites de la

croissance linéaire, prenons l'exemple de deux de mes connaissances qui ont des emplois très différents : un peintre et un médecin. Le peintre s'appelle Gary et est propriétaire d'un petit commerce de papier peint et de peinture situé tout près de chez-moi, à Clearwater, en Floride. Gary travaille très fort. Sa journée débute très tôt le matin et ne se termine qu'à la tombée du jour. Il travaille même les week-ends s'il le peut.

Lorsque Gary fait une soumission pour un travail, il fixe son taux horaire à 12 $. Mais après avoir déduit ses frais d'opération (transport, quincaillerie, administration, etc.), il ne gagne pas plus de 10 $ l'heure. Si Gary est chanceux et s'il travaille 10 heures par jour, six jours semaine, voici ce qu'il aura comme salaire en un an :

1 x 10 $ = 10 $ l'heure
60 heures par semaine = 600 $ par semaine
50 semaines par année = 30 000 $ par année

Ce salaire n'est pas si mal. Plusieurs personnes aimeraient bien gagner 30 000 $ par année. Toutefois, c'est le maximum que Gary peut gagner lorsque les affaires vont bien et qu'il obtient des contrats consécutifs. Mais regardons ce que Gary doit sacrifier pour y arriver :

- Il ne passe qu'une journée par semaine avec sa femme et ses enfants.

- Il ne gagnera jamais plus de 30 000$ par année, peu importe son acharnement au travail.

- Il n'a presque jamais de congés, et lorsqu'il en obtient un, il est trop fatigué (ou trop appauvri) pour l'apprécier!

- Voici le plus grand désavantage du travail basé sur la croissance linéaire: *Gary ne reçoit sa paie qu'une fois le travail terminé.* Ce qui signifie que lorsqu'il reçoit sa dernière paie, le cercle vicieux recommence.

Les professionnels ne sont rien de plus que des peintres grassement payés

Revenons à notre médecin, le Dr Lafleur, qui gagne 150 000$ par année avec sa pratique. Le Dr Lafleur est médecin généraliste et a son propre cabinet. Bien que deux de ses employées soient des infirmières diplômées, seul le médecin peut donner des consultations. Il travaille donc huit heures par jour, cinq jours par semaine, puis doit consacrer environ deux heures par jour à des tâches administratives. De plus, il consacre deux dimanches par mois à des rendez-vous d'affaires.

Pour augmenter son revenu, le Dr Lafleur doit absolument travailler plus d'heures. Comme il travaille déjà 10 heures par jour, lorsqu'il arrive à la maison il est trop fatigué pour aider ses enfants à faire leurs leçons, ou pour assister au match de soccer de son fils. Il lui est impossible d'ajouter des heures supplémentaires à sa journée de travail.

Esclave de son emploi

Bien sûr, le Dr Lafleur gagne beaucoup d'argent, mais pour cela il doit être un vrai bourreau de travail ! Il se sent pris au piège ! Il est frustré, aigri et malheureux. Il s'en remet alors à la routine, où il peut échanger son temps contre de l'argent, espérant qu'un jour tout ira mieux — mais sachant très bien qu'il n'en sera rien.

Voici donc le plus grand désavantage de la croissance linéaire : si vous ne faites pas le travail vous-même, rien ne s'accomplit. Si rien ne s'accomplit, il n'y a aucune entrée d'argent. Et pour gagner de l'argent, la seule façon, c'est de s'acharner au travail. Il ne faudrait surtout pas que le peintre ou le docteur s'absentent du travail pour cause de maladie ou de blessure.

Que gagnent les victimes du cercle vicieux ?

Et vous ? Êtes-vous pris dans ce cercle vicieux ? Si oui, quel salaire gagnez-vous dans cette situation ? Voici une liste d'emplois avec leurs salaires respectifs, tel que le rapporte *Parade Magazine* dans son rapport annuel sur les revenus des travailleurs. Voyez où se situe votre rémunération annuelle par comparaison avec d'autres emplois :

Salaires annuels moyens aux États-Unis en 1996*	
Emploi	*Salaire annuel*
Concierge d'hôpital	17 000 $
Enseignant	33 500 $
Avocat de corporation	85 500 $
Secrétaire	16 000 $
Vendeur	10 000 $
Président des États-Unis	200 000 $
Journaliste	32 000 $
Agent de voyage	28 000 $
Médecin	141 000 $
Pasteur	23 500 $
Comptable	39 000 $

** Revenu familial moyen aux États-Unis : 38 962 $*

La comparaison de votre salaire à celui d'autres emplois aux É.-U. vous surprend-elle ? La surprise serait encore plus grande si vous compariez votre revenu annuel à celui d'un directeur de grande entreprise.

Comparons le revenu d'un directeur à celui d'un travailleur moyen en 1996, les deux étant à l'emploi de la même entreprise :

DIFFÉRENCE DE SALAIRE ENTRE
UN DIRECTEUR ET UN TRAVAILLEUR

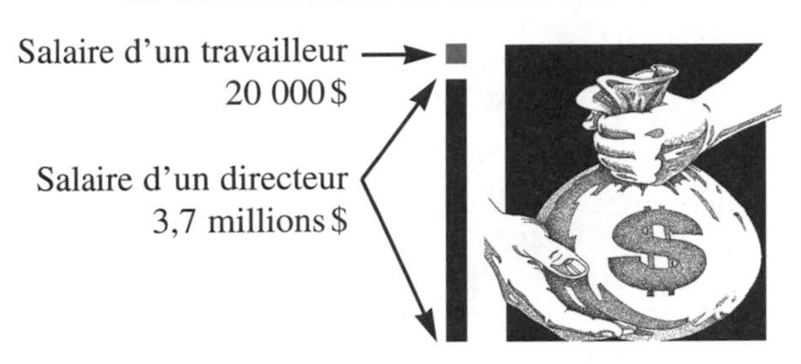

Salaire d'un directeur = 3,7 millions $
Salaire d'un travailleur = 20 000 $
Ratio = 187 pour 1

N'est-il pas surprenant qu'il y ait une si grande différence entre deux individus qui travaillent pour la même entreprise ? Vous vous demandez certainement *pourquoi* !

Comment se libérer du « piège temps-argent » ?

Je peux répondre à cette question en quatre mots : *l'effet de levier.* Voyez-vous, lorsqu'un travailleur moyen échange son temps contre de l'argent, son revenu augmente de façon linéaire. Une unité de temps équivaut à une unité d'argent. Le travailleur gagne exactement 100 % de la valeur de ses efforts.

Le directeur, quant à lui, optimise son temps et ses talents par ses employés. En plus de recevoir 100 % de la valeur de ses efforts, il reçoit aussi un pourcentage de l'effort de tous ses employés. C'est ce que J. Paul Getty voulait insinuer lorsqu'il a dit: «Je préfère recevoir 1 % de l'effort de 100 hommes que de recevoir 100 % de mes propres efforts.» C'est pourquoi l'effet de levier est si puissant: vous bénéficiez d'une petite partie des efforts de plusieurs autres personnes.

Les tablettes de chocolat *Hershey* en sont l'exemple parfait. L'entreprise fait un profit d'un cent ou deux, tout au plus, sur chaque tablette de chocolat. Mais elle vend des milliards de tablettes de chocolat de par le monde chaque année. C'est pourquoi les producteurs des tablettes de chocolat *Hershey, Mars Inc.*, peuvent présenter des profits de plus d'un milliard de dollars année après année. C'est aussi la raison pour laquelle le directeur de la compagnie *Hershey* a un énorme salaire.

L'ermite et la tronçonneuse

L'effet de levier me rappelle l'histoire de l'ermite et de la tronçonneuse. Un jour, un vieil ermite sortit de sa grotte située dans la montagne pour descendre s'acheter une scie à la quincaillerie du village.

«Je quitte ma grotte et je me construis une belle maison en bois rond», annonça-t-il fièrement au jeune commis de la quincaillerie. «J'ai besoin de la meilleure scie que vous ayez, peu importe le prix.»

Celui-ci disparut dans le magasin un instant et revint avec une tronçonneuse toute neuve.

« Voici la meilleure scie sur le marché », dit-il avec assurance. « Elle coupe les arbres comme un couteau coupe du beurre. Je vous assure qu'elle peut vous aider à produire l'équivalent d'un mois de travail en une seule journée, sinon je vous la rembourse de ma propre poche ! »

L'ermite, tout excité, paya le commis, prit sa tronçonneuse neuve et s'en retourna à la montagne.

Un mois plus tard, pendant que le commis s'affairait à remplir les étalages du magasin, il entendit la voix de l'ermite fendre l'air comme un fouet. « Hé ! l'ami, je viens rendre cette tronçonneuse afin d'être remboursé comme promis ! »

Le commis leva les yeux et fut stupéfait en voyant l'ermite dans un état lamentable, ses vêtements souillés, déchirés et tachés de sang. On aurait dit qu'il n'avait pas dormi depuis longtemps et qu'il avait travaillé jusqu'à l'épuisement total.

« Mais que vous est-il arrivé ? » lança le commis. « Vous faites peur à voir ! »

Le vieil ermite rassembla toutes ses forces et souleva la tronçonneuse pour la laisser tomber sur le comptoir en marmonnant : « C'est cette sacrée tronçonneuse que vous m'avez vendue. Vous aviez dit qu'elle pouvait abattre l'équivalent d'un mois de travail en une journée. Pourtant, j'ai utilisé cet outil pendant 30 jours et je n'ai même pas pu accomplir l'équivalent d'une journée de travail en un mois. Je désire être remboursé ! »

Le commis, tout étonné, s'excusa et dit : « Bien sûr, je tiendrai ma promesse. Mais laissez-moi d'abord la vérifier. Peut-être pourrai-je déceler le problème. »

Il tira sur la corde de démarrage, et d'un coup la tronçonneuse explosa en un grondement : « **G-R-R-R-R-R-R-R-R ! !** ».

L'ermite sursauta en s'éloignant du comptoir comme s'il avait été propulsé, puis cria de toutes ses forces : « Quel est ce bruit ?! »

Une courte leçon à propos de l'effet de levier

Pouvez-vous vous imaginer en train de couper un arbre à l'aide d'une tronçonneuse qui n'est pas en marche. L'ermite pouvait bien avoir l'air abattu et mal en point, n'est-ce pas ? Cette histoire vient donc appuyer la notion de l'effet de levier en tant que puissant outil de travail, mais seulement s'il est utilisé adéquatement.

La tronçonneuse est évidemment un bon outil pour optimiser nos efforts. Si vous avez déjà tenté de scier une grosse branche d'arbre à l'aide d'une scie à main, vous savez de quoi je parle. L'ironie de cette histoire se trouve dans le fait que l'ermite avait entre les mains un outil puissant qui tire avantage de l'effet de levier, mais il ne savait pas comment l'utiliser. En d'autres mots, son échec n'était pas le résultat de son manque de talents ou d'efforts. *Son échec était le résultat de son manque de connaissances !*

On peut en dire autant de n'importe qui. Grâce à la puissance de l'effet de levier, nous pouvons atteindre nos buts en une fraction du temps normal, et en fournissant une fraction de l'effort habituel. Nous pouvons *accomplir un mois de travail en un jour.* Mais pour profiter pleinement de ce concept, nous devons d'abord en reconnaître l'existence. Sinon, nous ferons comme l'ermite : *travailler avec acharnement,* plutôt que *travailler intelligemment* en optimisant nos efforts.

C'est pourquoi à l'âge de 65 ans, l'individu moyen sera soit mort soit voué à la faillite, dépendant de la société, de sa famille ou de l'église qu'il fréquente. Trop de gens suivent l'exemple du système linéaire plutôt que celui d'un système qui tire profit de l'effet de levier.

Il faut d'abord comprendre

En copiant un système qui tire profit de l'effet de levier, dans les bonnes circonstances, nous pouvons déplacer des montagnes... et gagner des millions.

La question demeure : *Quel système engendrant le succès financier devons-nous copier ?*

Voulons-nous continuer à suivre l'exemple du système linéaire et ressembler à l'ermite en échangeant beaucoup d'efforts pour peu d'argent ? Ou voulons-nous ressembler au jeune commis et apprendre à mettre en marche la « tronçonneuse » de l'effet de levier ?

Le prochain chapitre nous indiquera des méthodes établies pouvant nous aider à optimiser notre temps et notre argent afin de nous libérer du « piège temps-argent » une fois pour toutes, et ainsi, obtenir l'indépendance financière tant méritée.

CHAPITRE 4

L'effet de levier : travailler intelligemment, et non avec acharnement

Rien ne sert d'être si occupé comme le sont les fourmis. Il faut comprendre pourquoi nous sommes occupés.
(Traduction libre)

— Henry David Thoreau

En août 1888, Asa Candler, pharmacien d'Atlanta, paya 2 300 $ pour les droits d'exploitation d'une boisson gazeuse appelée *Coca-Cola.*

Cette boisson connut un succès instantané dans la région d'Atlanta et, au tournant du siècle, presque toutes les pharmacies du sud des États-Unis offraient à leurs clients la possibilité de s'asseoir et de savourer un coca bien froid pour 5 cents.

Par la suite, Candler prit une décision cruciale, qui propulsa *Coca-Cola* sur la scène internationale. En effet, Candler décida que son entreprise pouvait être plus lucrative plus vite et avec moins d'efforts grâce à un concept d'effet de levier unique : *l'embouteillage !*

Le secret du succès international de *Coca-Cola*

L'histoire derrière la décision de Candler d'embouteiller le coca est fascinante. La légende dit qu'un jour, un bon ami de Candler entra en trombe dans son bureau en proclamant qu'il pouvait, pour une somme bien rondelette, lui révéler le secret qui pouvait mener *Coca-Cola* à connaître des profits beaucoup plus importants.

Les deux hommes discutèrent un bon moment jusqu'à ce que Candler, gagné par la curiosité, émette un chèque à son ami. Ce dernier l'accepta gracieusement, puis se pencha pour souffler à l'oreille de Candler ces simples mots qui firent de *Coca-Cola* une véritable dynastie mondiale : *« Embouteillez-le ! »* Heureusement, Candler eut la bonne idée d'écouter les conseils de son ami. La suite… nous la connaissons tous.

Optimisation du temps et du lieu

« Embouteillez-le ! »

Réfléchissons un instant à la puissance de ces mots. Avant que le coca ne soit embouteillé, on devait se rendre au point de vente le plus proche pour en commander un verre, ou s'en priver.

L'embouteillage a tout changé. Le consommateur n'avait plus à se déplacer pour savourer un coca. En se procurant plusieurs bouteilles de coca, il pouvait ni plus ni moins emporter la fontaine chez-lui !

Aujourd'hui, n'importe qui, presque partout dans le monde, peut savourer un coca rafraîchissant dans le confort de sa demeure, peu importe l'heure du jour ou de la nuit. Tout cela parce que *Coca-Cola* a eu l'excellente idée d'optimiser le temps, l'effort et le lieu en embouteillant son produit.

Qu'est-ce que l'effet de levier ?

La racine du mot levier — *levare* — provient du latin et signifie proprement « rendre léger ». Ces mots donnent, en fait, une très bonne description de l'effet de levier. En utilisant certains appareils ou outils qui tirent profit de ce principe, nous pouvons donner beaucoup plus de force et d'ampleur à nos efforts, et ainsi réduire considérablement le temps d'exécution d'une tâche, tout en augmentant nos résultats.

Imaginez ce qu'il faudrait fournir comme effort pour remplacer le moteur d'une voiture si on ne pouvait bénéficier de l'effet de levier. D'après vous, combien faudrait-il d'hommes forts pour sortir le moteur hors de votre voiture : 5, 10, plus ?

Et maintenant, réfléchissez à la façon dont un mécanicien accomplirait le même travail en une fraction de ce temps et de l'effort fourni. Il positionnerait d'abord un palan bien huilé au-dessus du moteur. Ensuite, il fixerait soigneusement le moteur aux chaînes du palan. Puis, il attacherait le câble principal à un volant électrique. Et rien qu'en appuyant sur un bouton, le moteur serait soulevé hors de la voiture en l'espace de quelques secondes seulement. Voilà la puissance de l'effet de levier: il augmente la productivité en maximisant le temps, l'effort et même, dans certains cas, l'argent.

Comment certaines entreprises bénéficient-elles de l'effet de levier ?

Pendant des siècles, des entrepreneurs ont simplifié leur travail grâce au principe de levier. C'est en travaillant intelligemment, plutôt qu'avec acharnement, en découvrant la façon de faire beaucoup plus d'argent en beaucoup moins de temps, qu'ils ont augmenté leur productivité.

L'embauche d'employés est le moyen le plus évident que les gens d'affaires utilisent pour optimiser le temps. Presque toutes les grandes entreprises du monde — de *Ford Motor Company* à *Sony* — ont été fondées par un propriétaire unique qui a réussi à optimiser son temps et son talent à l'aide d'employés.

Si Henry Ford, par exemple, avait construit son *Model T* de ses propres mains, il aurait empoché 100 % des profits. Mais il savait qu'en travaillant seul, il n'aurait pu construire qu'un ou deux véhicules par année. Ford était assez intelligent pour rentabiliser son temps et ses talents, en enseignant à ses employés comment copier son système. En profitant de la puissance de l'effet de levier, Ford a construit des milliers d'automobiles et est devenu l'un des hommes les plus riches des temps modernes.

La perspicacité d'un agent immobilier

Les entreprises immobilières tirent avantage de l'effet de levier depuis plusieurs années en faisant appel à une équipe de sous-contractants indépendants (mieux connus sous le nom d'agents immobiliers).

Voyons comment un agent immobilier fictif, appelons-le Jean, profite de l'effet de levier pour faire plus d'argent en moins de temps. Jean travaille dans ce domaine depuis environ 20 ans. Au début de sa carrière, il se considérait chanceux de vendre une maison par mois. Mais au cours des ans, Jean a acquis de l'expérience. Après à peine cinq ans, il vendait en moyenne 50 maisons par année.

Malgré tous ses efforts, Jean ne pouvait vendre plus d'une maison par semaine. Après tout, il ne pouvait faire visiter qu'un certain nombre de maisons par jour. Il a donc pris la décision de fonder sa propre agence.

Jean a fait appel à quelques-unes de ses connaissances dans le domaine de l'immobilier afin qu'elles travaillent par l'entremise de son bureau. Au cours des ans, il a réuni 20 excellents agents immobiliers. Chacun de ces agents vendait 50 maisons par année, permettant ainsi à son agence d'enregistrer des ventes de plus de 1 000 maisons par année !

Voyons maintenant comment l'effet de levier a servi Jean. À lui seul, il pouvait vendre 50 maisons par année. En optimisant le temps et les talents d'autres agents, Jean a réussi à vendre 1 000 maisons, ce qui aurait été impossible s'il avait continuer à travailler seul. Grâce à l'effet de levier, il est 20 fois plus productif tout en travaillant moins. C'est exactement ce que signifie l'expression «*travailler intelligemment et non avec acharnement!*»

L'effet de levier et le franchisage

Le franchisage a poussé le principe de l'effet de levier à un niveau encore plus élevé que celui d'une entreprise immobilière. Bien que le franchisage existe depuis déjà bien des années, il n'a pas toujours été reconnu en tant que concept commercial légitime avant le début des années 50, lorsque Ray Kroc, vendeur d'appareils de lait frappé, a acheté les droits de franchiser un restaurant appelé *McDonald's.*

Ray Kroc n'a pas inventé le franchisage, mais il l'a perfectionné. Kroc avait compris que la clé de la réussite dans ce domaine était la duplication. Il a donc mis au point un système sans faille, détaillant toutes les étapes nécessaires au succès d'une franchise. Il a même déboursé 3 millions de dollars pour découvrir le secret de la frite parfaite. Lorsque quelqu'un achetait une franchise *McDonald's*, il n'avait qu'à suivre les instructions. C'était le rêve de tout imitateur!

Avez-vous déjà remarqué où se trouve la friteuse dans un *McDonald's*. Elle est à gauche lorsqu'on fait face au comptoir. Que vous soyez au *McDonald's* à Paris, au Texas, ou au *McDonald's* à Paris, en France, la friteuse se trouve toujours à gauche. Et croyez-moi, toutes les instructions relatives au fonctionnement de cette franchise sont décrites dans les moindres détails et suivies à la lettre.

La duplication : la clé d'un franchisage réussi

Le concept du franchisage fonctionne à merveille parce qu'il est simple. Le franchiseur et le franchisé en sortent gagnants.

Grâce à une mise au point exhaustive, le franchiseur développe un modèle de commercialisation d'un produit en demande, qui peut facilement être copié (par exemple, la restauration ou le développement de photos).

Pour connaître le succès dans le franchisage, il suffit de mettre au point un bon système, puis d'enregistrer en détail tout ce qui doit être fait afin que le modèle puisse être enseigné à quelqu'un d'autre.

Si un modèle est bien établi et qu'il peut être copié par « monsieur tout le monde », alors il peut être franchisé avec succès. Par contre, si le succès du modèle dépend du talent d'une vedette, alors il ne peut être copié avec succès parce que la vedette ne peut être reproduite.

Les vedettes ne peuvent être reproduites

Tom Cruise peut exiger un cachet de 20 millions de dollars par film parce qu'il est l'essence même d'une vedette. Comme on dit à Hollywood, il est « rentable ». Lorsque Tom Cruise prend la tête d'affiche d'un film, son succès financier est presque assuré !

Cependant, on ne peut pas franchiser Tom Cruise, parce qu'il ne peut être reproduit. « Monsieur tout le monde » ne peut copier ce que fait Tom Cruise et obtenir les mêmes résultats. C'est pourquoi il est impossible de franchiser un projet de création, comme l'écriture d'un best-seller ou d'une chanson à succès. Ces œuvres dépendent de la notion de « star », elles sont uniques et elles ne peuvent être reproduites de façon industrielle.

D'autres produits sont faciles à reproduire. La pizza en est un bon exemple. Les ingrédients nécessaires à la préparation d'une pizza sont abondants et peu couteux. Quelques minutes suffisent pour produire une pizza parfaite, et n'importe qui, en possession d'un diplôme d'études secondaires (ou moins) et avec le désir de réussir, peut apprendre à copier ce modèle de franchise. Il faut donc se rendre à l'évidence qu'il n'est pas nécessaire d'être un génie pour faire fonctionner une franchise. Cependant, nous devons admettre que la réussite dépend de notre capacité de reproduire.

De zéro à héros

L'optimisation du temps et de l'argent (grâce à l'effet de levier) par la duplication fonctionne-t-il ? Pour répondre à cette question, il suffit de regarder la façon dont s'est développé le franchisage dans les 50 dernières années. Lorsque Ray Kroc a amorcé la duplication de son projet, la majorité des gens croyaient que le franchisage était une activité commerciale frauduleuse. Le Congrès des États-Unis a même tenté d'empêcher son expansion.

Ironiquement, la perception du franchisage a pris un virage à 180 degrés depuis ses débuts. En effet, certains experts estiment que 34 % à 60 % des biens et services en Amérique sont distribués par le biais du franchisage, et des investisseurs futés du monde entier paient des millions de dollars pour se procurer les droits sur une franchise sûre.

La beauté du succès phénoménal du franchisage réside dans le concept de la duplication. Cependant, il y a un aspect négatif au franchisage : les frais de démarrage. Peu de gens ont un million de dollars à débourser pour se lancer en affaires. De plus, on doit détenir plusieurs franchises pour devenir vraiment riche avec ce système.

Un nouveau type de franchise : le système de duplication par excellence

Supposons qu'il y ait un concept identique à celui d'une franchise, mais avec des frais de démarrage de 500 $ ou moins. Et maintenant, supposons que ce « nouveau type de franchise » soit basé sur le type de croissance le plus puissant qui soit : la *croissance exponentielle composée*. Le résultat serait, bien sûr, le système de duplication par excellence menant au succès financier.

Aujourd'hui, n'importe qui peut copier le système déjà utilisé par les gens les plus riches du monde.

Aujourd'hui, on peut aussi être payé 1 000 fois plus pour un travail exécuté une seule fois, au lieu d'être payé une fois pour un travail exécuté 1 000 fois.

Les pages suivantes vous feront découvrir plus en détail la croissance exponentielle, un système sûr de création du succès, que des gens comme vous et moi peuvent reproduire. Vous apprendrez aussi comment la combinaison de la croissance exponentielle et du concept du franchisage peut vous permettre d'atteindre la prospérité en moins de temps qu'avec n'importe quel autre système disponible aujourd'hui !

CHAPITRE 5

La croissance exponentielle : la formule du succès financier

Si vous désirez devenir riche, vous n'avez qu'à trouver quelqu'un qui fait beaucoup d'argent et à suivre ses traces. (Traduction libre)

— J. Paul Getty

En commençant ce chapitre, j'aimerais vous raconter l'histoire d'Oseola McCarty, laveuse de linge de 88 ans. Cette histoire vous aidera à comprendre la formule de croissance la plus puissante et la plus démocratique au monde assurant le succès financier. Il s'agit de l'intérêt composé qui a le pouvoir de transformer les pauvres en princes.

Vie difficile

Oseola McCarty a eu une vie difficile. À l'âge de huit ans, elle laissait l'école pour aider sa mère à laver et à presser les vêtements des voisins. Soixante-dix ans plus tard, Oseola travaillait toujours comme laveuse de linge.

Elle demandait entre 1,50$ et 2,00$ le lot — c'est-à-dire une semaine de lessive pour une famille de quatre — et ce, jusqu'à la fin de la Deuxième Guerre mondiale, après quoi, elle augmenta son prix à 10,00$ le lot. Même durant ses meilleures années, à raison de six jours semaines, Oseola n'a jamais gagné plus de 9 000$ par année

Les petites économies font toute la différence

C'est à l'âge de 40 ans qu'elle a pu commencer à épargner de l'argent. Elle s'y est prise graduellement, en commençant par les cents et les cinq cents, puis par les vingt-cinq cents, et enfin par les billets d'un dollar. Elle a placé ses économies dans une banque locale et n'y a jamais touché. Au fil des ans, ses économies se sont accumulées, et le capital et les intérêts n'ont fait que s'accroître.

À l'été de 1995, Oseola McCarty— décrocheuse de l'école élémentaire qui n'a jamais gagné plus de 9 000$ par année — a fait un don de *150 000$* à la *University of Southern Mississipi!*

L'intérêt composé: la 8e merveille du monde

Comment cette femme ordinaire, avec si peu d'instruction, a-t-elle réussi à amasser cette petite fortune? Voici ce qu'elle a dit elle-même: «*Le secret de la fortune repose sur l'intérêt composé.*»

Le Petit Larousse définit l'intérêt composé comme étant «l'intérêt perçu sur un capital formé d'un capital primitif accru de ses intérêts accumulés... ». Le mot clé de cette définition est « accumulés ». Si le capital ou les intérêts sont dépensés plutôt que réinvestis, le pouvoir qu'offre l'intérêt composé est diminué d'autant.

Au cours de l'histoire, l'intérêt composé a créé plus de fortunes que tout autre véhicule d'investissement simple. Avec l'intérêt composé, votre argent travaille pour vous, même si vous ne travaillez pas. Albert Einstein est allé jusqu'à qualifier l'intérêt composé de « 8e merveille du monde ». En fait, il s'agit du principe de base qui guide Wall Street et l'industrie bancaire.

Croissance exponentielle = Croissance explosive

Qu'est-ce qui fait de l'intérêt composé la « 8e merveille du monde » ? Quelle est la particularité qui lui permet de transformer de maigres économies en petites fortunes ? C'est la croissance explosive, l'outil par excellence servant à optimiser le temps et l'argent.

Au chapitre 3, nous avons parlé des limites de la croissance linéaire. Pour mieux comprendre la différence entre la croissance exponentielle et la croissance linéaire, revoyons brièvement certains principes mathématiques de base appris au niveau scolaire intermédiaire.

Le terme *linéaire* fait référence à certaines fonctions mathématiques de base. L'équation suivante est un exemple d'équation linéaire.

$$5 + 5 = 10$$

Une croissance linéaire se fait en ligne droite, étape par étape. C'est pourquoi, lorsqu'on parle d'équations linéaires, on parle de calculs de « première puissance ».

La croissance exponentielle, par contre, fait référence à une forme plus sophistiquée de multiplication connue sous l'appellation « au carré ». Une équation exponentielle typique pourrait ressembler à celle-ci :

$$5^2 = 25$$

(vs l'équation linéaire $5 + 5 = 10$)

Le terme *exponentiel* provient du nombre placé en exposant à la droite d'un autre nombre pour indiquer combien de fois celui-ci est multiplié par lui-même. C'est pourquoi, lorsqu'il s'agit d'équations exponentielles, on parle de calculs à la « deuxième puissance » ou à la « troisième puissance », et ainsi de suite. La leçon que nous devons en tirer est la suivante : la croissance linéaire est échelonnée et graduelle, alors que la croissance exponentielle est radicale et spectaculaire.

La règle de 72

Afin de mieux comprendre la puissance incroyable de la croissance exponentielle, jetons un coup d'œil sur le principe de doublage appelé *règle de 72*. La règle de 72 est une formule toute simple servant à calculer le temps qu'il faut pour qu'un placement double sa valeur.

Afin de calculer le nombre d'années qu'il faut pour doubler votre investissement, vous devez tout d'abord déterminer le taux d'intérêt annuel. Divisez ensuite 72 par ce taux. Le nombre que vous obtiendrez ainsi correspond au nombre d'années qu'il vous faudra pour doubler votre investissement.

Par exemple, supposons que vous investissiez 10 000$ dans des actions qui vous rapportent 10 p. 100 annuellement (le retour annuel moyen pour le marché des actions au cours des cinq dernières années).

Règle de 72 en pleine action
10 000$ — investissement initial
10 p. 100 — retour sur l'investissement
72 ÷ 10 = 7,2 années

Par conséquent, 7,2 années seront nécessaires pour que votre investissement de 10 000$ atteigne 20 000$, soit le double.

La règle de 72 s'applique très facilement, mais les résultats de la formule ne sont rien de moins qu'un miracle. La comparaison entre un investissement de 10 000$ qui croît de façon linéaire vs exponentielle, à 10 p. 100 par année, apparaît dans le tableau suivant (rappelez-vous, à 10 p. 100, votre 10 000$ double après 7,2 années).

CROISSANCE LINÉAIRE (principe de l'addition simple)	CROISSANCE EXPONENTIELLE (principe de doublage)
Investissement : 10 000 $	10 000 $
Après 7 ans : 10 000 $ + 10 000 $ = 20 000 $	20 000 $
Après 14 ans : 20 000 $ + 10 000 $ = 30 000 $	40 000 $
Après 22 ans : 30 000 $ + 10 000 $ = 40 000 $	80 000 $
Après 29 ans : 40 000 $ + 10 000 $ = 50 000 $	160 000 $
Après 36 ans : 50 000 $ + 10 000 $ = 60 000 $	320 000 $
Après 43 ans : 60 000 $ + 10 000 $ = 70 000 $	640 000 $
Après 50 ans : 70 000 $ + 10 000 $ = 80 000 $	1 3000 000 $

Ce tableau illustre très bien la puissance de la croissance exponentielle, tout en indiquant clairement les limites de la croissance linéaire. Au cours des premières années, les résultats sont à peu près les mêmes. Toutefois, en raison de la forme géométrique que prend la croissance exponentielle, la croissance de l'investissement devient, avec le temps, de plus en plus explosive.

Le résultat est très éloquent : *80 000 $ générés par la croissance linéaire comparativement à 1,3 millions de dollars générés par la croissance exponentielle.*

Le succès grâce à l'intérêt composé

L'exemple parfait du pouvoir de la croissance exponentielle, par le biais de l'intérêt composé, est le fonds d'investissement créé par Warren Buffet, un des hommes les plus riches au monde. Si, en 1956, vous aviez investi 10 000 $

dans le *Buffet's Berkshire Hathaway Fund*, et réinvesti les intérêts et les dividendes année après année, aujourd'hui votre investissement vaudrait 80 millions de dollars !

Cela semble impossible, n'est-ce pas ? Un retour de 80 millions de dollars pour un investissement de seulement 10 000 $! Il s'agit du pouvoir qui tire avantage de l'intérêt composé permettant à votre investissement de s'accroître de façon significative année après année. Prenons des compagnies comme *Xerox, Kodak, IBM, Wal-Mart* et *Microsoft*, pour n'en nommer que quelques-unes, qui ont, au cours des années, multiplié leur croissance par 100. Si vous aviez eu la prévoyance, la patience et l'argent requis pour investir dans n'importe laquelle de ces compagnies il y a 25 ans, vous seriez plusieurs fois millionnaire aujourd'hui.

L'effet de levier pour monsieur tout le monde

Oseola McCarty est un exemple classique des bienfaits associés à l'intérêt composé que j'appelle « l'effet de levier pour monsieur tout le monde ». Au chapitre précédent, j'ai parlé de deux autres types d'optimisation financière : les employés et le franchisage, deux outils puissants qui tirent profit de l'effet de levier. Mais pour vous en servir, il vous faudra beaucoup d'argent ou beaucoup de talent.

En revanche, tout le monde peut tirer avantage de l'intérêt composé, qui est en fait la colonne vertébrale du système exponentiel servant à acquérir une sécurité financière. Il s'agit d'une façon dynamique de tirer le maximum de votre temps, de vos talents, de vos efforts et de votre argent.

Dans les pages qui suivent, vous découvrirez le système de duplication qui vous permettra d'éliminer les deux plus grands obstacles à l'intérêt composé : le temps et l'argent. En effet, très peu de gens disposent de 100 000 $, de 50 000 $, ou même de 10 000 $, qui n'attendent qu'à être investis. Et même s'ils les avaient, ils ne seraient pas disposés à attendre 40 ou 50 ans pour qu'ils croissent de façon exponentielle. Avec le coût de la vie qui ne cesse d'augmenter, beaucoup de familles ont de la difficulté à boucler les fins de mois. Elles n'ont donc pas les moyens d'investir leur argent si durement gagné, dans l'espoir de vivre assez vieux pour pouvoir profiter d'une retraite dorée.

Le temps, c'est de l'argent

Alors, la véritable question est la suivante : Comment peut-on atteindre la sécurité financière par le biais de la croissance exponentielle sans investir des milliers de dollars, ou encore sans attendre toute une vie pour que son petit pécule double et finisse par devenir une petite fortune ? La réponse à cette question repose sur un concept de duplication qui combine le franchisage et la croissance exponentielle : ***le marketing de réseau.***

Bien que, de nos jours, la plupart d'entre nous n'aient pas beaucoup d'argent, nous disposons tous de temps. Honnêtement, nous pouvons tous réorganiser nos journées pour en tirer quelques heures de plus si nous désirons vraiment utiliser ce temps pour acquérir une sécurité financière.

Voici une formule très simple pour parvenir au succès dans les décennies à venir :

$$\mathbf{T \times E^2 = \$}$$

T = temps investi dans la duplication d'un modèle d'imitation (concept du franchisage)
E^2 = croissance exponentielle
$ = liberté financière

Dans les pages qui suivent, vous découvrirez qu'en investissant votre temps — plutôt que votre argent — dans un réseau de marketing vous pourrez trouver le chemin de la sécurité financière.

Il ne s'agit pas de savoir si ce système de duplication, destiné à créer une véritable sécurité financière, fonctionne ou non. Il fonctionne, à preuve les milliers d'hommes et de femmes qui travaillent dans une industrie qui génère 100 milliards de dollars dans le monde, et qui croît à un taux de 10 p. 100 annuellement.

La véritable question est la suivante : Êtes-vous suffisamment visionnaire pour le voir ? Avez-vous la sagesse pour le comprendre ? Et le courage d'en tirer avantage dès maintenant !

CHAPITRE 6

La synergie : un mariage parfait !

Si vous avez bâti des châteaux en Espagne, vous n'avez pas nécessairement travaillé en vain, car c'est là où ils devraient être. Il ne vous reste plus qu'à en édifier les fondations. (Traduction libre)
— Henry David Thoreau

Ernest Hamwi, immigrant déterminé, faisait de son mieux pour vendre des gaufres perses à la Foire internationale de 1905. Il travaillait du matin au soir, il donnait des échantillons gratuits aux personnes qui passaient près de son kiosque, mais rien ne semblait fonctionner. Personne ne voulait de ses gaufres.

Le pire de tout, c'est que, jour après jour, les visiteurs affamés et affligés par la chaleur passaient à toute vitesse devant son petit kiosque pour faire la file au kiosque voisin où on vendait de la crème glacée. Ernest passait ses journées à regarder le vendeur de crème glacée amasser de l'argent à pleines mains.

Par un après-midi particulièrement chaud, la chance tourna en faveur d'Ernest. La crème glacée se vendait si bien que le vendeur manqua d'assiettes. Désespéré, il se rendit au kiosque d'Ernest, le suppliant de lui donner des assiettes.

Un mariage parfait

Ernest n'avait pas d'assiettes. Il n'avait que des piles de gaufres bien tendres et bien sucrées dont personne ne voulait. Soudain, il eut une idée. Peut-être pouvait-il rouler ses gaufres en forme de cône, de façon à pouvoir y mettre une boule de crème glacée. Évidemment, le cône fonctionna à merveille. On assista alors à la naissance du cornet de crème glacée.

La crème glacée et le cornet gaufré d'Ernest allaient de pair comme le cheval et la carriole. C'était un mariage parfait. Le cornet de crème glacée devint alors l'attraction de la Foire internationale de 1905. Le cornet de crème glacée reste, un siècle plus tard, le dessert qu'on préfère à travers le monde.

Cette histoire est un très bon exemple du concept de synergie. La combinaison de deux produits ou concepts différents donne souvent un résultat supérieur à la somme de ses parties. Le cornet de crème glacée est l'illustration de la synergie créative en pleine action.

L'incroyable pouvoir de la synergie créative

L'histoire regorge d'incidents où la combinaison de deux concepts différents a donné naissance à des produits qui ont bien fonctionné ou à des entreprises incroyablement lucratives.

L'exemple de synergie que je préfère est l'association qui a permis de créer le produit qui fut le meilleur vendeur de toute l'histoire d'une grande compagnie *Fortune 500*, la *3M Corporation*. Un employé de *3M* cherchait une façon d'empêcher son signet de tomber de son cahier de cantiques lors des pratiques de la chorale de l'église.

Il exposa son problème lors d'une réunion de remue-méninges au bureau. Un ingénieur en chimie se souvint d'une expérience ratée avec un nouvel adhésif et suggéra d'en enduire le dos des feuilles d'un bloc-notes. Ce mariage plutôt invraisemblable entre un bloc-notes et un adhésif raté porte maintenant le nom « Post-It », un produit qui génère des millions de dollars en revenus.

Le secret de la synergie fructueuse

La clé d'une synergie fructueuse repose sur la création d'un nouveau produit ou service en combinant deux concepts qui, à première vue, n'ont aucun lien. Dans plusieurs cas, la synergie est due à la chance, comme lors de l'invention du cornet de crème glacée. Dans d'autres cas, la synergie vient de gens très créatifs qui « ne pensent pas comme tout le monde ». Qu'elle qu'en soit la cause, les effets de la synergie sont puissants, inattendus, explosifs, et changent des habitudes de vie.

Prenons un instant pour jeter un coup d'œil à quatre types de synergie qui ont eu un impact spectaculaire sur la vie des gens partout dans le monde.

L'automobile — Un sondage à l'échelle de la planète révélerait sans doute que l'automobile est l'invention qui symbolise le mieux le XXe siècle. En combinant par synergie la carriole tirée par un cheval et le moteur à combustion, Karl Benz, d'Allemagne, et Henry Ford, de l'Amérique, ont pris la route de l'âge moderne.

Le télécopieur — Pouvez-vous imaginer être en affaires sans télécopieur ? Exception faite du téléphone, le télécopieur est probablement l'outil de travail le plus abordable et le plus efficace qui soit aujourd'hui. Le télécopieur est le parfait exemple de la synergie créative : une combinaison du téléphone et du photocopieur. Quelle grande invention ! et quelle merveilleuse commodité !

L'ordinateur personnel (OP) — L'OP, une brillante combinaison de la calculatrice et de la machine à écrire, est le produit par excellence issu de la synergie. Au début des années 60, Steven Jobs, co-fondateur de *Apple Computer*, eut une vision. Il vit le jour où, dans un avenir rapproché, on retrouverait un petit ordinateur peu coûteux, d'une puissance incroyable, dans tous les foyers, tous les bureaux et toutes les écoles du monde.

Le franchisage — On pourrait affirmer que le franchisage est le modèle d'affaires qui a le mieux réussi au cours du XXe siècle. Le franchisage est, du point de vue de la synergie, *l'association de grands magasins, tels Sears, et de propriétaires de petites entreprises.* Au cours des 50 dernières années, le concept a réussi à un point tel que certains experts estiment que plus d'un tiers des biens et services, vendus en Amérique du Nord, le sont par le biais de franchises.

Ces quatre modèles, illustrant la réussite de la synergie, ont eu un impact important sur le monde, c'est certain. Il est évident que chacune de ces synergies a aidé de nombreuses personnes à acquérir des fortunes colossales. Cependant, il est juste d'affirmer que, pour l'individu moyen, le franchisage est le seul modèle réaliste à copier afin d'atteindre le succès financier.

Le franchisage : le rêve des imitateurs devenu réalité

Soyons réalistes, peu de gens ont l'argent nécessaire (ou l'intelligence) pour concevoir et construire un nouvel ordinateur, ou pour être concessionnaires d'automobiles, ou encore détaillants de photocopieurs. Vous ne pouvez vraiment pas imiter ces entreprises, qui nécessitent soit des aptitudes spéciales, soit beaucoup d'argent, soit les deux.

C'est ce qui rend le franchisage si attrayant. Par définition, les franchises sont des modèles imitables. Si un produit ou un service ne peut être imité, alors il ne peut faire l'objet d'une franchise.

Avec une franchise, il était possible d'imiter un produit ou un service populaire dans des centaines et même des milliers d'endroits à travers le monde. La venue du franchisage fut une vraie bénédiction pour les consommateurs. Encore une fois, *McDonald's* en est le parfait exemple. Le premier restaurant se situait à San Bernardino, en Californie. Toutes les personnes qui y mangeaient aimaient les hamburgers et les frites peu coûteuses des frères McDonald. Mais avant que le franchisage ne fasse son apparition, seuls les résidents locaux pouvaient apprécier leur nourriture parce qu'on ne pouvait la déguster qu'en un seul endroit.

Par le biais du franchisage, les frères McDonald ont pu rendre accessibles leurs hamburgers et leurs frites dans chacune des villes du pays. À ce jour, il existe 21 000 restaurants *McDonald's* dans 101 pays, et un nouveau restaurant ouvre ses portes tous les deux jours, quelque part dans le monde !

Si les consommateurs sont satisfaits du concept de franchisage, imaginez-vous comment les propriétaires se sentent : ils doivent être en extase ! Assurément, pour des milliers de propriétaires d'entreprises, le franchisage est le rêve des imitateurs devenu réalité !

Comment le franchisage fonctionne-t-il ?

Nous pouvons tous nous servir du franchisage comme moyen garanti de trouver le chemin du succès en copiant une entreprise prospère. Le franchisage est l'exemple classique d'un partenariat couronné de succès. Le franchiseur accroît sa part de marché en vendant un système bien établi et profitable à un investisseur, ou franchisé. Celui-ci achète une entreprise clefs en main et, par le fait même, réduit ses risques en évitant des erreurs coûteuses qui se produisent inévitablement au démarrage de toute nouvelle entreprise. Il s'agit d'une situation où l'on est gagnant sur toute la ligne.

Le franchisage est probablement l'histoire commerciale affichant le plus grand succès au cours du XXe siècle. Lorsque les frères McDonald ouvrirent leur première franchise au milieu des années 50, le concept fut mal compris et perçu comme un traquenard tendu aux investisseurs. Aujourd'hui, cinquante ans plus tard, le franchisage est un phénomène mondial. Incroyable !

Le marketing de réseau :
la synergie par excellence

Imaginez que vous soyez chargé de créer la synergie par excellence devant mener à la liberté financière : une synergie tellement incroyable, tellement puissante, qu'elle atteindrait tous les habitants de la planète et, par le fait même, améliorerait et enrichirait leur vie.

Votre synergie serait tellement facile à imiter que n'importe qui pourrait la copier.

Votre synergie serait tellement abordable que n'importe qui pourrait s'impliquer.

Votre synergie aurait une croissance exponentielle plutôt que linéaire.

Votre synergie serait disponible partout dans le monde.

Votre synergie serait offerte tant aux hommes qu'aux femmes, tant aux plus âgés qu'aux plus jeunes, tant aux riches qu'aux pauvres.

Votre synergie serait le système de duplication par excellence menant à la liberté financière.

Eh bien, je suis heureux de vous annoncer qu'une synergie aussi radicale existe déjà. Il s'agit d'un mariage parfait, de la combinaison des deux véhicules les plus puissants de l'histoire du monde menant au succès: le mariage du *franchisage* et de la *croissance exponentielle.*

Il en résulte un concept que j'appelle la synergie par excellence: ***le marketing de réseau.*** Quel brillant concept de synergie — une franchise qui croît exponentiellement!

Le marketing de réseau est, en fait, la synergie à son meilleur. C'est le cornet de crème glacée, c'est l'automobile, c'est le télécopieur. Et, retenez bien mes paroles, si vous pensez que le franchisage est incroyable, vous n'avez encore rien vu!

CHAPITRE 7

Le marketing de réseau : le système de duplication par excellence !

J'ai toujours ressenti que je n'avais pas besoin d'être un créateur, juste un bon imitateur. (Traduction libre)

— Max Cooper,
propriétaire de 47 franchises *McDonald's*

Jusqu'à maintenant, nous sommes d'accord pour dire que la duplication est la clé du succès du franchisage, et nous convenons également que la croissance exponentielle, par le biais de l'intérêt composé, est un moyen éprouvé pour accéder à la liberté financière.

C'est pour cette raison que j'appelle le marketing de réseau la synergie par excellence : il réunit ce qu'il y a de meilleur dans le franchisage et ce qu'il y a dc meilleur dans le concept de la croissance exponentielle. C'est un mariage parfait !

Prenons quelques instants pour revoir chacun de ces concepts avant de voir comment il se sont liés pour créer le système de duplication par excellence : *le marketing de réseau !*

La parabole du serviteur improductif

Comme nous l'avons souligné précédemment, la croissance exponentielle est un principe éprouvé servant de base à la réussite, et dont profitent les riches depuis des milliers d'années.

Même la Bible reconnaît l'importance de tirer avantage de l'intérêt composé, tel que le souligne la parabole du serviteur improductif.

Le maître d'un grand domaine se préparait à partir pour un long voyage. Il appela trois de ses serviteurs les plus fiables et confia à chacun une somme d'argent. Le premier serviteur reçut cinq talents, le deuxième en reçut deux et le troisième, un.

Les deux premiers serviteurs investirent l'argent qui leur avait été confié, si bien que lorsque le maître revint, ils avaient doublé leur capital et furent louangés par leur maître pour leur sagesse.

Toutefois, le troisième serviteur eut tellement peur de perdre son talent qu'il décida de l'enfouir dans le sol. Au retour du maître, il ne lui remit donc que cet unique talent. Le maître réprimanda ce troisième serviteur parce qu'il n'avait pas investi son argent chez les banquiers, et il le chassa sur-le-champ.

Faites travailler votre argent

La parabole souligne l'importance de prendre des décisions éclairées et productives, qu'elles soient d'ordre financier ou spirituel. Il ne suffit pas d'être chanceux, d'avoir de l'argent, des talents, des aptitudes ou une âme. Ce qui importe le plus, c'est ce que vous faites de ces dons. Allez-vous les enfouir dans le sol ou bien les investir avec sagesse, afin qu'ils croissent et se multiplient.

Le pouvoir de la croissance exponentielle est évident : vous pouvez faire travailler votre argent afin qu'il double... et se multiplie encore et encore. Avec l'intérêt composé, votre argent travaille pour vous, même quand vous dormez ! Einstein savait de quoi il parlait lorsqu'il qualifia l'intérêt composé de « 8e merveille du monde » !

L'importance du temps

Par contre, il y a un hic. Autrement, tout le monde profiterait du système de croissance exponentielle et serait prospère, n'est-ce pas ? Il y a deux défis de taille à relever pour profiter de l'intérêt composé.

Premièrement, pour pouvoir investir de l'argent, il faut qu'il nous en reste une fois nos comptes payés ! Malheureusement, c'est rarement le cas. Un comédien a déjà dit : « La plupart d'entre nous avons trop de mois à la fin de notre argent ! » Rares sont les personnes de la classe moyenne qui peuvent mettre de côté 100 $ par mois — et 1 200 $ d'économies par année, ce n'est pas grand-chose.

Deuxièmement, faire fructifier votre argent par le biais de l'intérêt composé exige du temps — beaucoup de temps ! Un investissement de 1 000 $ prendrait plus de sept ans à doubler à un taux de 10 p. 100 par année sur le marché boursier. Le principe de doublage n'offre pas beaucoup d'attraits lorsque vous ne disposez que de quelques centaines, ou même de quelques milliers de dollars à investir.

En toute franchise, la plupart des personnes sont trop occupées pour devenir riches au moyen de l'intérêt composé. Mais grâce au marketing de réseau, *il existe aujourd'hui un système qui s'inspire du concept de la franchise et qui, grâce à la croissance exponentielle, vous permet d'obtenir la réussite et la liberté en quelques mois ou années, au lieu de plusieurs décennies !*

Le système est la solution

Compte tenu de sa facilité de reproduction, le marketing de réseau est le système de duplication par excellence menant à la réussite. C'est un concept abordable, ressemblant à la franchise et qui ne laisse rien au hasard. Pour réussir dans le marketing de réseau, vous n'avez pas besoin d'avoir les talents d'une vedette comme Tom Cruise ou Whitney Houston, ni le génie d'Albert Einstein ou de Bill Gates.

Contrairement à l'industrie du spectacle, le marketing de réseau ne mise pas sur une vedette.

Il mise plutôt sur des gens ordinaires qui reproduisent un système éprouvé pour ainsi obtenir des résultats extraordinaires. Ceux-ci enseignent ensuite à d'autres personnes comment en faire autant (on décrit le marketing de réseau comme : « des personnes moyennes touchant des revenus au-dessus de la moyenne »).

Par ailleurs, au lieu de débourser des centaines de milliers de dollars, comme pour une franchise traditionnelle, vous n'avez qu'à investir quelques centaines de dollars pour démarrer votre « franchise » de marketing de réseau ! C'est pourquoi certains experts appellent le marketing de réseau « la franchise du peuple »... et c'est pourquoi, moi, je l'appelle « la franchise de rechange ».

Imiter le meilleur plan

La clé pour établir un réseau de marketing qui soit vaste et profitable (comme pour une franchise) est dans le don d'imitateur que Dieu vous a accordé. La seule différence est que vous imiterez un concept ressemblant à une franchise qui mène au succès, et non un modèle d'emploi, qui ne vous procurerait que des revenus temporaires.

Lorsque vous investissez de *l'argent* dans une franchise traditionnelle — ou lorsque vous investissez du *temps* dans un réseau de marketing — vous investissez véritablement dans *le système*. Au lieu d'essayer de créer une entreprise prospère à partir de rien, comme celle des frères McDonald, n'est-il pas plus facile de suivre les traces qui vous assurent la réussite ?

Plus que toute autre chose, *McDonald's* offre un système sûr. Les gens ont beau se moquer de son centre de formation *(Hamburger University),* mais chez *McDonald's*, on prend la formation très au sérieux !

Pour obtenir une franchise *McDonald's*, vous devez au préalable fréquenter la *Hamburger University* et apprendre à reproduire leur système, qui fonctionne à merveille depuis près de 50 ans ! Sinon, dites adieu à votre projet. C'est aussi simple que cela. La dernière chose que *McDonald's* veut, c'est une franchise qui n'est pas rentable.

La franchise, un choix gagnant

Je ne crois pas faire fausse route en affirmant qu'au cours des années 80 et 90, le franchisage a été le concept d'affaires le plus populaire au monde — et cette industrie ne cesse de prendre de l'expansion. Selon la revue *Entrepreneur*, 540 000 franchises ont enregistré des ventes records de 758 milliards de dollars en 1996 ; eh oui, 758 milliards de dollars !

Si on considère qu'on avait qualifié le franchisage d'arnaque il y a de cela 50 ans, il est presque incroyable que cette industrie jouisse aujourd'hui d'une réputation aussi enviable.

Les points communs entre le marketing de réseau et le franchisage

Les compagnies qui se spécialisent dans le marketing de réseau ressemblent aux franchises à succès. Ces compagnies soutiennent leurs « franchisés » (appelés distributeurs) en offrant des produits de qualité et un système clefs en main qui repose sur un marketing assuré par du matériel promotionnel (brochures, dépliants, cassettes, etc.)

Le système est à la base du franchisage et du marketing de réseau. Votre réussite dépend de votre aptitude à imiter — non à innover. Plus votre imitation du système existant sera bonne, plus votre réussite sera grande.

Peu importe le moment où vous joignez les rangs d'une compagnie de marketing de réseau, vous êtes toujours le patron de votre propre compagnie, et chacun de vos distributeurs indépendants est le patron de sa propre compagnie. Il s'agit littéralement d'un réseau de directeurs généraux.

Avantages du marketing de réseau sur le franchisage

Même si le franchisage et le marketing de réseau sont deux systèmes de duplication, ce dernier bénéficie de plusieurs avantages comparativement au franchisage. Regardons le tableau comparatif à la page suivante.

Franchisage	**vs**	**Marketing de réseau**
Frais de démarrage moyens : 85 000 $	◄►	Frais de démarrage : 500 $ ou moins
Échange de temps contre de l'argent	◄►	Les revenus croissent exponentiellement
VOUS VERSEZ de 3 % à 10 % de vos recettes mensuelles au franchiseur	◄►	La compagnie VOUS VERSE une commission de 3 % à 28 % du volume d'achat de votre organisation
Recrutement et congédiement d'employés	◄►	Aucun employé
Les frais d'exploitation augmentent au même rythme que votre entreprise	◄►	Bureau à domicile (frais minimes)
Les heures d'ouverture du commerce déterminent vos heures de travail	◄►	Vous choisissez vos heures de travail
Territoire restreint	◄►	Territoire national et international
Vous réalisez le rêve de quelqu'un d'autre	◄►	Vous réalisez votre propre rêve !

Comme vous le constatez, le marketing de réseau prend le meilleur de la franchise — le concept d'un système de duplication — et laisse le reste. Ainsi, le marketing de réseau atteint un tout nouveau sommet. Certains experts affirment même qu'il s'agit de « la prochaine étape de l'évolution de la libre entreprise ».

La franchise dotée d'une croissance exponentielle

Comme le franchisé traditionnel, chaque distributeur de votre réseau est propriétaire de sa propre entreprise, faisant la promotion de ses produits et bâtissant son réseau de distribution. Mais en tant que distributeur au sein d'un réseau, vous n'avez pas à tenir le rôle d'un franchisé conventionnel. Vous pouvez choisir de jouer le rôle de « franchiseur », en parrainant d'autres personnes au sein de votre entreprise et en leur enseignant à reproduire un système sûr menant au succès.

En d'autres termes, les franchisés traditionnels seront toujours freinés par la croissance linéaire, quel que soit le nombre de franchises dont ils sont propriétaires. Voici quelques scénarios qui vous aideront à mieux comprendre.

Dans le premier scénario, supposons que vous êtes propriétaire de six franchises traditionnelles. Le diagramme de la *croissance linéaire* de votre entreprise de franchises serait le suivant :

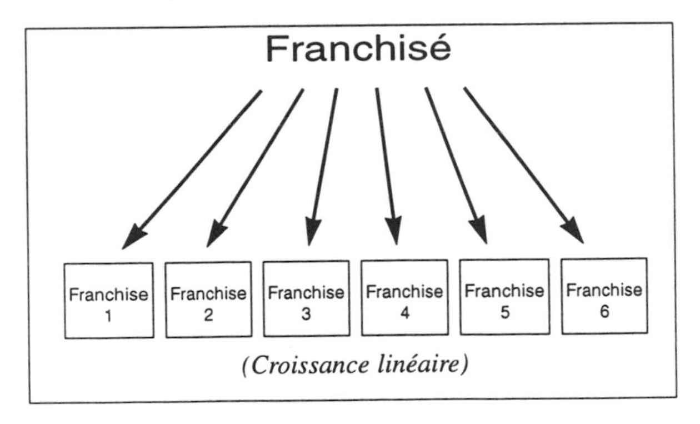

(Croissance linéaire)

Quel que soit le nombre de franchises que vous y ajouterez, la croissance sera toujours linéaire. Cela signifie que vous ne pourrez jamais gagner plus que les profits totaux de vos six franchises.

Dans le second scénario, supposons que vous êtes à la tête d'un réseau de distributeurs indépendants en pleine expansion. Au cours d'une certaine période de temps, vous parrainez six distributeurs clés et vous leur enseignez à vous imiter en parrainant six autres distributeurs. Ceux-ci reproduisent à leur tour le système en parainant d'autres distributeurs. Voici à quoi ressemblerait le diagramme de la *croissance exponentielle* de votre réseau:

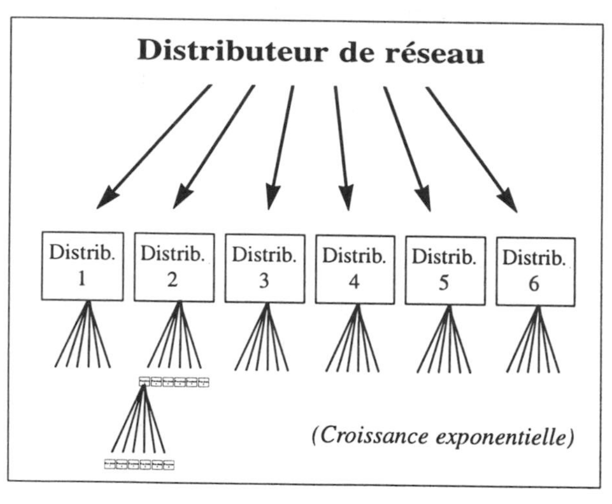

Comme vous pouvez le constater, en parrainant six distributeurs et en leur enseignant à faire de même, vous amplifieriez votre entreprise de centaines de « franchises de rechange » (comparativement à seulement six franchises traditionnelles).

Et ce n'est que de la pointe de l'iceberg ! Lorsque le principe de doublage de la croissance exponentielle entre en jeu, la croissance est explosive. Certains distributeurs de réseau ont des organisations regroupant des milliers et même des centaines de milliers de distributeurs !

Essayez d'imaginer la commission versée sur un tel volume de ventes. Pas étonnant que certains distributeurs de réseau mènent une vie digne des gens riches et célèbres !

Vous êtes payé pour vos recommandations !

Nous savons tous que la meilleure publicité est celle qui se fait de bouche à oreille, n'est-ce pas ? Si nous visionnons un bon film, nous le recommandons à nos amis. Mais serons-nous payés si nos amis vont le voir ? Bien sûr que non !

Il en va de même lorsque nous recommandons un bon restaurant. Nous disons à nos amis que ce restaurant est fantastique ; mais est-ce que le propriétaire nous verse une commission ?

Dans le marketing de réseau, vous touchez une commission sur les produits et services que vous recommandez, lesquels vous utilisez et recommandez de toute façon. Vous ne pouvez pas perdre. De plus, c'est le système de marketing le plus efficace et le plus honnête au monde.

Comment fonctionne le marketing de réseau

Vous savez, les frères McDonald n'ont pas débuté avec 20 000 restaurants à travers le monde. Ils n'en avaient qu'un seul et ils en ont ouvert un deuxième identique. De même, afin que votre organisation croisse de façon exponentielle, vous commencez par vous, puis ajoutez une deuxième personne.

Pensez-vous qu'il vous soit possible de convaincre, chaque mois, une seule personne de se joindre à votre organisation ? Juste un associé, attiré par la liberté, la reconnaissance, le bonheur et la sécurité ; un associé intéressé à améliorer sa vie et celle de sa famille ?

Une personne décidée par mois — voilà tout ce dont vous avez besoin !

Comment à partir d'une personne par mois en obtient-on 4 096 ?

Une fois que vous avez convaincu cette personne de se joindre à votre organisation, vous devenez son formateur. Vous n'avez pas à concentrer tous vos efforts sur la vente de produits ; vous devez seulement former votre recrue à bien imiter votre système.

Ensuite, en deux mois, vous enseignez à votre premier associé comment reproduire ce que vous-même avez fait, c'est-à-dire parrainer une personne, pendant que vous recrutez une deuxième personne. Donc, à la fin du deuxième mois, vous avez personnellement parrainé deux personnes, et votre premier associé en a également parrainé une. Vous constitué maintenant un groupe de quatre : vous et trois autres, exact ?

Vous poursuivez donc la duplication du système infaillible de votre parrain et enseignez à vos nouveaux partenaires à vous imiter, pour le troisième, le quatrième, le cinquième mois, et ainsi de suite. À la fin de votre première année, vous aurez personnellement recruté 12 personnes — une chaque mois — et chacune d'elles aura également parrainé une personne par mois.

Examinons maintenant comment le pouvoir de la *croissance exponentielle,* combiné à un simple *concept de franchise* imitable (marketing de réseau), a fait exploser votre entreprise :

En parrainant juste une personne par mois pendant 1 an — et en convainquant chacune d'elle d'imiter votre système et de parrainer une personne par mois — votre organisation comptera *4 096 entreprises indépendantes sous forme de franchises de rechange*, au terme de 12 mois !

Voici la partie la plus emballante : la compagnie vous verse un pourcentage sur le volume des ventes de votre organisation à titre de redevance. Si la compagnie de marketing de réseau ne paie que 3 p. 100 à 28 p. 100 en commission sur les ventes, vous auriez un revenu de 12 000$ par mois ou plus !

Cela, mes amis, c'est **connaître le succès financier grâce au concept de la duplication !**

Les faits incontestables

Nous avons beaucoup étudié la théorie sur laquelle s'appuie le marketing de réseau. Analysons maintenant quelques-uns des faits relatifs à cette industrie dynamique. Premièrement, le marketing de réseau, tout comme le franchisage, est une industrie qui a plus de 50 ans. Il s'agit d'une méthode puissante et efficace de distribution de produits et services.

De nos jours, le marketing de réseau est une façon bien établie de faire des affaires dans 125 pays, et 20 millions de personnes sont des distributeurs indépendants.

Suivez le chef

Lorsqu'on évalue une industrie, on doit d'abord en connaître le chef de file, parce que sa vitesse détermine celle du groupe : *Microsoft* pour les logiciels d'ordinateur, *Coca-Cola* pour les boissons non-alcoolisées, etc. Ces deux compagnies mènent leur industrie respective dans des cycles de croissance phénoménale.

Pour le marketing de réseau, le chef de file incontestable est sans contredit *Amway Corporation*, d'Ada, au Michigan. *Amway* a plus de 2,5 millions de distributeurs dans plus de 75 pays et territoires, et ses ventes à l'étranger totalisent les deux tiers de son chiffre d'affaires. *Amway Japon* est la compagnie étrangère qui connaît la croissance la plus rapide après *Coca - Cola*. Sur le plan mondial, *Amway* a généré plus de 5,3 milliards de dollars en 1994 ; 6,3 milliards de dollars en 1995 ; 6,8 milliards de dollars en 1996, et croît actuellement à un taux de 19 p. 100 par année — représentant plus d'1 milliard de dollars annuellement !

Quelle est l'importance d'*Amway* ? Parmi les géants de l'industrie des produits personnels et domestiques, *Amway* est deuxième après *Proctor & Gamble* au niveau des revenus annuels et surpasse les principaux titulaires de *Fortune 500* : *Colgate-Palmolive* et *Johnson & Johnson!*

C'est évident, le marketing de réseau n'est plus qu'une simple théorie. Il ne soulève également plus de controverse. De nos jours, il se trouve là où se trouvait le franchisage il y a 20 ans : c'est un concept de franchise à la portée de tous, qui croît de façon exponentielle et qui entre dans sa phase de croissance optimale !

Croissance à pas de géant

Au cours des dernières années, l'industrie du marketing de réseau a subi une croissance phénoménale. Lorsque j'ai commencé à étudier cette industrie, au début des années 90, elle générait un chiffre d'affaires annuel de 20 milliards de dollars. Depuis, il s'est accru à un taux de 10 p. 100 annuellement, pour atteindre des ventes de 100 milliards de dollars en 1996. La bonne nouvelle est que le meilleur est à venir, comme le démontre le graphique suivant :

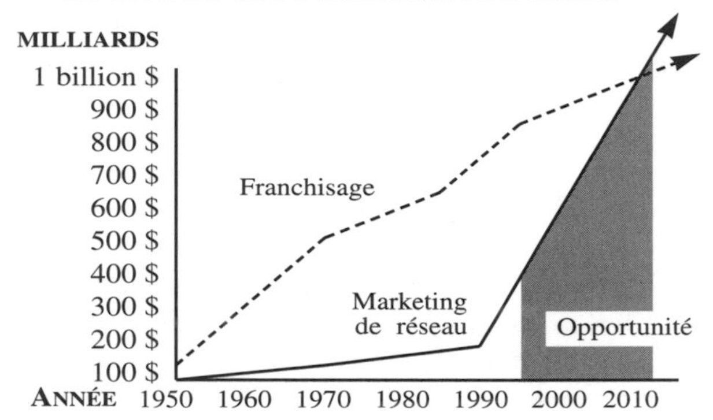

Comme le démontre ce graphique, nous entrons aujourd'hui dans l'âge d'Or du marketing de réseau. *Le meilleur est à venir!* Je fais cette prévision en raison des avantages exponentiels du marketing de réseau; il est indéniable que cette industrie dépassera les ventes de franchises traditionnelles, et ce, au cours de la prochaine décennie.

C'est bien plus qu'une tendance majeure: c'est un mouvement mondial! Je l'appelle le mouvement «E^2», qui signifie «entrepreneur exponentiel». Le marketing de réseau est parfaitement positionné pour profiter de l'immense vague d'entrepreneurs à domicile qui balaie le globe!

La question à laquelle vous devez répondre est la suivante: *Au cours de la prochaine décennie, serais-je un simple spectateur de l'explosion du marketing de réseau ou serais-je une des personnes qui contribueront à cette explosion — et qui en profiteront?*

CONCLUSION

À vous de jouer !

Nous pouvons résister à l'invasion d'une armée, mais pas à une idée dont le temps est venu.

— Victor Hugo

Pour achever un livre traitant du concept de la duplication, rien de mieux qu'une histoire à propos des meilleurs imitateurs dans la nature : les chenilles processionnaires. Ces insectes fascinants ont obtenu leur nom d'après leur curieuse habitude de se déplacer en grand nombre et en file indienne.

Les chenilles processionnaires sont douées pour reproduire le comportement de leurs pareils. En fait, c'est presque tout ce qu'elles savent faire. Leur « instinct de groupe » est si puissant, qu'elles se suivent parfois les unes à la suite des autres pendant des kilomètres.

Il y a quelques années, un scientifique français a mené une expérience informelle pour déterminer l'importance de l'instinct de groupe de ces insectes. Il a placé plusieurs chenilles sur le rebord d'un pot rempli de leur nourriture préférée et de beaucoup d'eau fraîche.

Les chenilles se sont mises à suivre la première chenille autour du pot. Elles ont marché sans arrêt, heure après heure, jour après jour.

Malgré la proximité de la nourriture et de l'eau, l'instinct qui les poussait à se suivre les unes les autres était si puissant qu'aucune des chenilles n'a quitté les rangs. Après sept jours de marche incessante, elles sont toutes mortes d'épuisement.

Qui avez-vous choisi d'imiter ?

Comme la chenille processionnaire, les humains ont un instinct de groupe puissant. C'est pourquoi nous sommes de très bons imitateurs. Heureusement, notre instinct de groupe est contrebalancé par notre capacité de penser. Étant donné que nous pouvons raisonner, nous pouvons faire des choix, mais les pauvres insectes sont à la merci de leurs instincts.

Les humains peuvent choisir de se détacher du peloton. Nous pouvons donc choisir d'arrêter d'imiter les gens dont le système mène aux dettes, à la dépendance, au doute et, dans trop de cas, au désastre ! D'autre part, nous pouvons choisir d'imiter un système menant à la prospérité et à l'abondance.

Et vous ? Êtes-vous comme la chenille processionnaire ? Imitez-vous aveuglément la masse, jusqu'à ce que vous fassiez partie du 95 % des gens morts, fauchés, ou à la merci d'une pension du gouvernement pour survivre ?

Ou êtes-vous prêts à vous démarquer du groupe et à faire partie du 5 % des gens qui réussissent en copiant un plan établi qui engendre la vraie prospérité ?

Pourquoi copier un système qui engendre le succès financier ?

Pourquoi vous démarqueriez-vous des autres en suivant un plan qui engendre le succès financier ? La réponse est simple : **la liberté !**

La liberté financière une fois pour toutes.

La liberté professionnelle : plus de patron qui épie vos moindres gestes et plus d'emplois à mi-temps pour arrondir vos fins de mois.

La liberté de planifier votre propre horaire de travail et de vacances.

La liberté de rêver pour vous-même et non pour les autres.

La liberté d'esprit : plus de stress causé par une trop grosse charge de travail pour trop peu d'argent.

Vous vous rappellerez que la vraie prospérité, c'est d'avoir assez d'argent et assez de temps pour faire ce que vous désirez, lorsque vous le désirez.

La vraie prospérité redonne à la libre entreprise toutes ses lettres de noblesse. C'est exactement pour cette raison que nous devons reproduire un système qui engendre la vraie prospérité.

À vous de jouer

Vous pouvez le faire; vous avez toutes les compétences pour réussir dans le marketing de réseau parce que vous êtes, depuis votre naissance, un excellent imitateur! Il est temps de quitter les rangs du 95 % et de commencer à imiter le système qui vous fera connaître le succès financier, plutôt que de continuer à tourner en rond sans arrêt.

C'est à votre tour de vous détacher du peloton et de commencer à engendrer la vraie prospérité et la liberté totale!

En vérité, vous n'aurez rien à faire que vous ne faites pas déjà! Vous êtes déjà un expert de l'imitation, n'est-ce pas? Alors ne croyez-vous pas qu'il est temps de reproduire un système qui vous aidera à *réaliser vos rêves*, au lieu d'un système qui *compromet vos rêves?*

C'est évident!

Quelles sont vos plus grandes craintes face à l'avenir?

Il n'y a rien à craindre avec la duplication d'un système qui mène au *vrai* succès financier. La vraie crainte est de finir comme les gens qui font partie du 95 % qui sont morts, fauchés ou qui dépendent de leur famille, de l'église ou de l'État.

La vraie crainte est de prendre votre retraite à l'âge d'or et de vivre d'une pension de pauvreté.

La vraie crainte est d'accepter de vivre dans la médiocrité lorsque vous savez très bien que vous méritez mieux.

La vraie crainte est d'abandonner vos rêves parce que vous avez choisi de copier un système qui ne vous permettra jamais de les réaliser.

Vous ne devez jamais vous départir de vos rêves à cause de gens négatifs ! Les gens négatifs sont comme les chenilles processionnaires : ils insisteront pour que vous copiiez leur système et que vous attendiez après votre chèque de paie pour en arriver toujours au même résultat.

Une opportunité n'est jamais ratée...

C'est à votre tour d'engendrer la vraie prospérité, mais pour cela vous devez commencer à imiter un nouveau système. Il est important de se rappeler qu'on doit saisir les opportunités lorsqu'elles se présentent, et non lorsqu'on croit être prêt à passer à l'action.

Comme je dis souvent : « Une opportunité n'est jamais ratée ; quelqu'un d'autre en profite avant nous ! »

Ne laissez pas cette opportunité vous filer entre les doigts. Vous avez maintenant l'occasion de passer à l'action. Vous pouvez le faire. Vous êtes déjà un excellent imitateur. Accordez-vous la chance de capitaliser sur le plus important mouvement économique depuis le franchisage.

Aujourd'hui, le marketing de réseau est au point où le franchisage en était il y a 20 ans : un marché de 100 milliards de dollars par année qui est destiné à une explosion économique de 700 milliards de dollars au cours de la prochaine décennie !

N'attendez plus ! Le temps est venu de passer à l'action ! Vous pouvez dès aujourd'hui vous retrouver au premier plan d'un mouvement économique mondial et enfin faire partie du 5 %.

Vous êtes un excellent imitateur.

Vous avez les compétences pour réussir.

Le temps est propice.

Vous le méritez.

À vous de jouer... Connaissez le succès financier grâce au concept de la duplication !

TABLE DES MATIÈRES